麟見亭奏稿

LIN JIANTING ZOUGAO

[清] 麟慶 撰

2

廣西師範大學出版社
GUANGXI NORMAL UNIVERSITY PRESS
·桂林·

奏稿

十九
二十
年

謝　加賜壽字摺

奏爲恭謝

天恩事竊斧齋摺差弁回浦奉到

頒賞

御書福字壽字各一方鹿肉麅肉湯鹿肉一分謹即

恭設香案望

闕叩頭祗領伏以乙年兆瑞亥吉開陽欽惟我

皇上德備箕疇

元調泰寓九五福曰壽
壽本如山八千歲為春春原似海當此
龍光下逮適逢鳳紀更新仰
日月之雙懸
奎文煥彩蒸雲霞之五色仙脯分甘拏荷蒙
賜疊福箋茲又
恩加壽字年方近艾承
錫羨於迎年事重搴艾凜持盈而敬事所願河清海

宴惟
一人永茂蕃釐更欣民樂年豐俾萬姓同躋
仁壽所有犬馬感激下忱謹繕摺叩謝
天恩伏乞
皇上聖鑒謹
奏　十九年正月初六日拜
進　正月二十九日奉到
硃批覽欽此

議復人字河壩啟閉揩
奏為遵
旨會議人字河壩請仍循照舊制恭揩具
奏仰祈
聖鑒事竊臣等承准軍機大臣字寄道光十八年十
二月十二日奉
上諭給事中成觀宣奏運河歸江之路應禁築壩堵
攔一揩據稱淮揚運河之芒稻閘人字河入江便

捷不宜堵壩以阻去路近来商人築攔江壩正在
人字河口夏秋水長之時江口壅遏運隄吃重凡
運隄防護搶險之工實攔江壩壅遏不開所致且
有壩啟閉商力總能上下其手請飭啟除净盡等
語事關運隄農田不得以兼顧商運為辭致有疎
失着陶澍麟慶體察情形妥議具奏原摺着鈔給
閱看等因欽此當即轉行司道議詳茲據詳覆前
来伏查人字河一帶水道情形臣等均屢經親

勘茲臣陶澍因病未能出省函囑臣麟慶詳加
察核臣麟慶因十七年夏間勘
奏後已閱二載情形恐或不同當於二月初八日
自浦起身十三日行抵人字河督同兩淮鹽運
使沈拱辰常鎮通海道伊克精額揚州府知府
溫予巽復加履勘並函致臣陶澍詳細講求查
揚糧廳屬運河歸江之路臨運有金灣壩東西
灣鳳凰橋瓦窑鋪新河壁虎橋灣頭閘等十二

處迤下有廖家溝石羊溝董家溝芒稻閘等四
處凡臨運各路下注之水均由廖石董三溝及
芒稻閘歸江其人字河係分洩舊越河之水地
居芒稻閘上游並非芒稻河尾閭亦非擱阻衆
水歸江之路溯查成案乾隆二十三年前尚書
臣嵇璜曾議令鹽船由舊越河直達金灣北閘
請將芒稻閘常川開放聲明如遇水小之年再
行相機辦理奉有

諭旨但乾隆二十八年即經前河臣高晋
奏明數年来每值冬春下游通泰河流淺涸即在
芒稲閘迤東築壩蓄水以資農田灌溉並通粮
運鹽艘直至汛水長發方始開放今金灣南二
閘改建石滚壩與從前形勢不同應酌量變通
將芒稲閘每年冬春水小時酌量下板數塊嗣
於乾隆三十二年又經前督臣高晋前河臣李
宏等以芒稲河雖經閉板而水勢則由董家溝

等河歸江其下游之通泰河綿長四百餘里竟
無来源即再加挑深無水可蓄不特有礙鹽漕
運行且於數州縣農田灌溉均有未便奏請於
芒稻閘迤東照舊煞壩其煞壩之費仍歸商捐
辦理欽奉
硃批甚妥如所議行欽此是芒稻閘迤東築壩蓄水由
来已久並非始自近年且人字河去江口甚遠
正在舊越河直達金灣北閘分汊之處該壩祇

為攔蓄舊越河水勢並不能攔阻衆水歸江亦無攔江壩之名另有攔江大壩係在大江南岸京口與此無涉惟因向歸商人捐辦議者遂疑商人所築專為利己其實水大則放水小即堵其啟放定制曾經司道議詳以三溝閘誌椿存水一丈二尺為度再察看長生庵誌椿並揚州城河水勢在五尺以上方准啟放如不及五尺恐碍漕行雖三溝閘已符定制仍隨時稟明由

臣等體察情形飭辦是該管官尚不得自專商
人何能上下其手至原奏稱道光十一年大水
決馬棚灣十二十三年疊開車邏中新等壩而
此壩均未一開等語臣等查十一年馬棚灣失
事係六月十八日而人字河壩已早於四月十
四日啟放十二年係七月初十日啟放十三年
係六月二十四日啟放而十二年啟放高郵車
南中新四壩俱在七月二十以後十三年啟放

高郵車邏壩係七月南中二壩係八月亦在放過人字壩之後至十四十五兩年人字壩未放高郵等壩亦未放十六七八等三年人字河壩均放高郵四壩仍未放皆有歷年案據可稽又原奏稱運隄防護搶險之工實攔江壩壅遏不開所致等語臣等查淮揚運河承受洪澤湖下注之水兩岸縴隄綿亘數百里關係運道民生而人字河壩在高郵四壩及昭關壩之下當大

汛漲水下注先歷高郵等壩始及人字河勢不能不先護各壩況人字河僅寬十八丈洩水無多如欲守高郵等壩雖放人字河仍不能省防護運隄搶險之費且臨運各壩河自金灣舊壩至灣頭閘止共口寬二百三十餘丈大水皆下注廖石董三溝及芒稻閘暢洩歸江更非人字河一處所能壅過而每逢來源較旺又皆隨時啟放從未堅閉不啟總之鹽漕均關

國計民商同係赤子我
皇上覆載同仁臣等責任綦重何敢狥附近一二處
居民自利之私而忽上下數百里水道之利惟
當率循舊章通籌全局務令各得其宜即如高
郵四壩及昭關壩原備減漲衛隄而設當水長
工忙之際一經啟放歸墟便捷原可省防護之
力搶險之費所慮下河田廬不免淹浸是以臣
等時刻籌商保護不敢畏難仰荷

聖恩不惜錢粮各壩五載未啟七邑屢獲豐收然歷
年皆於重運過境後先行酌啟歸江各路騰空
河面故水勢足資容納四壩得以堅守運隄農
田幸無貽悞如果人字河壩壅遏歸江水路臣
等又何敢專顧商運玆復再四商酌人字河壩
必須仍循其舊方與鹽漕民商均無窒碍該給
事中所奏啟除淨盡之處應毋庸議所有該處
河道情形繪圖貼說恭呈

御覽謹將臣等會議緣由繕摺覆
奏伏乞
皇上聖鑒訓示謹
奏 十九年二月二十二日拜
進 三月十二日奉到
硃批另有旨欽此 三月初三日内閣奉
上諭前據給事中成觀宣奏稱淮揚運河之芒稻閘
人字河不宜堵壩以阻去路請飭啟除淨盡等語

當交陶澍等妥察情形妥議具奏茲據奏稱芒稻
閘迤東築壩蓄水由來已久並非始自近年且人
字河去江口甚遠該壩祇為攔蓄舊越河水勢並
不能攔阻衆水歸江是人字河壩於鹽漕民商均
無窒礙自應循照舊制不得輕議更張該給事中
所奏著無庸議欽此

湖水積長放壩摺

奏為湖水積長不消現在竭力籌防並添啟各壩

以資宣洩情形恭摺仰祈

聖鑒事竊查本年洪澤湖水因来源勤旺前已長至

一丈八尺五寸自啟放各壩河後報落尺餘方

冀即可遞消詎入秋以来霪雨連旬上游皖豫

兩省及江境徐州一帶亦俱雨多水大由各溪

河匯歸洪湖蕪之湖西山泉漲發下注安徽正

陽關疊報淮河長水是以湖水自七月中旬以
後復又接長二十八九等日每日見長六寸乃
從来所未有堰盱兩廳石工高者出水二尺矮
者僅止尺餘臣親往查看湖波萬頃一望汪洋
微風鼓盪浪即上隄目擊險要情形萬分凛惕
隨督該管廳營分投防護因石工出水無多倘
再加長惟賴子堰攔禦而子堰單薄必須加幫
兼可招集人夫遇有急工藉資應手當飭擇要

趕辦又林家西壩及舊仁義河直壩護埽並仁
義河中間攔堰護埽被風掣塌多段亦均補鑲
加高詎八月初三日辰刻陡起西南暴風繼轉
正西又轉西北異常狂猛全湖巨浪潑過堰頂
防守兵夫均難立足直至亥刻風勢稍定據報
高堰山盱二廳境內掣卸石工至二千餘丈之
多石後槽土汕刷寬深各隄堰壩埽潰塌之處
不一而足山盱廳屬之高㵎壩竟至掣通幸後

有越隄攔禦現在淮揚道江瀚馳往確查分飭
修補其所掣石工如有深塘大段急切難以補
砌即先用料摟護以資捍衛查湖水現已長至
二丈零三寸比上五年盛漲均大一尺餘寸至
三尺餘寸已有不能容納之勢而比外河黃水
尚矮不能啟通禦壩滙黃歸海至山盱除智信
二壩義禮二河早經啟放具
奏外現在惟餘林家西壩一處未啟緣該壩地勢

過於建瓴一經啟放雖洩水較靈而沛然下注
淮揚東隄著重且壩底易於冲趺堵閉棘手需
費亦屬不貲是以臣到任六年来未敢輕啟然
以現在情形而論權衡輕重不得不冒險一放
以保湖隄昨已酌發銀兩飭令廳營先將兩面
裹頭及壩下東水隄護埽星夜購料趕辦適河
營叅將張兆自徐屬趕回隨令馳往該壩察看
情形如必不可再守即行赶啟俾資暢洩其裹

河廳運口汛首受出湖之水本形喫重茲湖水
日高奮迅而下各閘壩溜如懸瀑閘背並兩岸
縴隄出水無幾臣親率京員道府巡行臨視無
不怵目動心初三日風暴之時湖浪乘風擁注
水勢陡長河溜湧激惠濟通濟兩閘均與水平
各埽壩刷墊入水之處甚多經該廳營擇要分
投跟鑲並於閘背鑲做馬鞍埽其縴隄卑矮及
窨潮脫坡段落搶築堰戧幸資抵禦乃初四初

五連日又起西南大風臨湖頭二堡及濟運壩一帶湖波飛湧將碎石掣卸塌動大隄計長五百數十丈情形危險臣聞信馳往親督將備搶護並派候補通判張懋就近採青供用至晚稍定查該處為運道咽喉且居清江浦上游所關最要現飭該管廳營縣汛晝夜駐防設法保護此次風暴適當異漲之際堰盱裏河處處着重清江浦一帶人心惶惶皆謂勢難保守茲得搶

護無事臣驚悸之餘尤深寅惕現准督臣陳鑾
移咨因聞湖水驟長河工吃緊特派坐補淮安
府知府恩齡海門廳同知清平馳赴工次協同
巡防至下游揚粮境内歸江各橋壩早經全啟
因洪湖減水遞注江潮過大復又頂托以致有
長無消該廳及揚河廳兩岸縴隄處處危險搶
護不遑查高郵誌樁已長至一丈四尺九寸早
適啟放車邏等壩水誌二尺臣前因顧惜下河

數邑田禾未肯輕放現值湖河並漲又當秋令
風暴靡常一線東隄岌岌可危未便再事堅守
致有他虞且早中兩稻已收晚稻向種高阜尚
無大碍隨即劄飭高郵州曉諭居民專派淮揚
遊擊呂邦治持
令前往並派熟悉啟壩情形之山安同知陳勲文
會同廳營趕將車邏壩於七月二十九日啟放
而水仍見長復於八月初一二日接啟五里中

壩南關新壩此外尚餘南關大壩並揚糧之昭
關壩倘從此水勢暢消自可毋須添放或来源
仍旺再當相機酌辦臣惟有竭盡心力督飭所
屬加意巡防務保安恬以期仰副
聖主重工保民之至意所有湖水積長不消並籌啟
各壩情形理合恭摺具陳伏乞
皇上聖鑒謹
奏十九年八月初六日拜

進　九月初三日奉到

硃批竭力防守斷不可稍有疏虞欽此

議復安東改河夾片

再臣於上年十一月二十日承准軍機大臣字

寄欽奉

上諭給事中汪報原奏請改黄浹清一摺著兩江總督會同江南河道總督悉心妥議具奏摺併發欽此並抄寄原摺到臣伏查安東改河之議臣於十三年到任時即曾面詢前河臣張井據云實緣初到南河時求治情切訪有此議即行上陳

旋因不能自信確有把握所以在任八年未敢
再奏等語臣復留心體訪實係無地可改隨於
敬陳南河大局情形摺內奏蒙
聖鑒茲奉
旨後復行詳查舊案康熙年間改而未成嗣後屢經
欽差大臣履勘均未議行蓋緣新開之路不如舊河
寬深而新闢之口更不如現行海口通暢其餘
室礙甚多不特糜費

帑項且慮貽累民生是以前人僉謂不能辦理惟
思給事中汪報原籍隸淮安今為此奏或有所
見並恐今昔情形或有更變當委護淮海道祝
豫河營參將張兆前往查勘據稟地勢土性仍
與昔年無異臣正擬起程復勘適奉
恩命兼署兩江督篆現在地方鹽務諸事均須督辦
未便遠離應請俟交卸督篆後再當親往確勘
會同新任督臣妥議覆

奏謹先附片陳明伏乞

聖鑒謹

奏二十年正月初四日附

進正月二十八日奉到

硃批知道了欽此

年終咨考摺并名單夾片

奏為循例咨陳鎮司道府考語仰祈

聖鑒事竊照三省提鎮司道府等官例應於年底由

督臣出具切實考語咨行陳

奏臣仰沐

恩命兼署兩江總督原應照例出考咨陳第甫經接

印安徽江西相距較遠該兩省文武大員聞見

未真無憑出考即江蘇提督蘇松狼山二鎮及

地方各道府同官一省曾經隨時訪察知各尚
能整頓營伍講求吏治第於該員等居心行政
未盡深悉亦未敢率行註考惟臣本任江南河
道總督已逾六年凡所轄專河沿河現任文武
大員每遇因公接見必以營伍如何整頓吏治
如何振作修防如何講究詳加諮詢復於稟詳
案牘之中察其政績施為並採訪輿論默為存
記除江蘇布政使邸甲名尚未抵任江蘇按察

使張晋熈到任未及三月淮海道一缺尚未請
補外其餘各員玆屆道光十九年年底應奏之
期臣謹就所知出具切實考語繕清單恭呈
御覽伏乞
皇上聖鑒謹
奏　二十年正月初四日拜
進　正月二十八日奉到
硃批單片留覽欽此

謹將道光十九年分專河沿河之江蘇安徽總
兵司道知府出具切實考語敬繕清單恭呈
御覽
計開
徐州鎮總兵鮑方灼 正紅旗漢軍世襲二等輕車都尉
年力正強弓馬漢仗俱好惟辦事稍欠穩練
尚須察看
江寧布政使唐鑑 山東進士原籍湖南

持躬廉謹供職克勤

兩淮鹽運使沈拱辰 浙江進士

前在河庫道任內辦事妥協今當整頓鹺綱

之任謹細有餘幹濟不足

河庫道黎攀鏐 廣東進士

心地淳明筦庫詳慎

淮揚道江瀚 安徽供事寄籍順天

才識通達於河務尤為老練惜因上年搶險

患病精神不振現已給假調治委員代理

徐州道朱襄 安徽進士

安詳穩練明白修防歷署藩臬印務均能辦理裕如

常鎮道伊克精額 正白旗蒙古筆帖式

人甚樸直供職克勤

廬鳳潁泗道鄭家麟 直隸進士

辦事認真人亦極知自愛

淮安府知府趙廷熙奉天進士
辦事穏細於河務雖未熟諳頗能留心講求
揚州府知府温予巽陝西進士
篤實可靠已請調江寧首府
徐州府知府周壽貴州貢生
供職克勤緝捕勇往
鳳陽府知府吳振棫浙江進士
人淳静辦事勤慎

再學政聲名例應年終陳奏一次臣查所轄之
江蘇安徽江西三省內安徽學政車克慎江西
學政吳其濬皆素稔其品學兼優惟臣甫經兼
署督篆於隔省考試情形未能深悉不敢率陳
至江蘇學政祁寯藻考過揚州淮安徐州三府
屬生童臣於總河任內曾經詢訪知該學政考
試認真場規整肅輿論翕服除仍隨時密加察
訪外理合附片具

奏伏乞

聖鑒謹

奏

復陳海口情形摺

奏為遵

旨防範海口先陳大概情形恭摺

奏祈

聖鑒事竊臣於道光二十年正月初三日承准軍機

大臣字寄十九年十二月二十六日奉

上諭本日據林則徐等奏𠸄夷自封港後具稟乞恩

業經嚴行批駁驅逐出口等語該夷反覆無常莫

圖售其奸計難保不將違禁貨物分寄各國夷商
轉為銷售現在粵省東西兩路已責成林則徐等
派委妥員散布各隘認真查拿此外沿海各省亦
應一體嚴密防範絕其去路著各飭所屬認真稽
查倘竄入各口即實力驅逐盡淨以杜来源而清
積弊將此各諭令知之等因欽此遵
旨寄信前来伏查江南省沿海設立水師廟灣一營
係臣本任所轄東海塩城二營向隸漕標提標

則額設提右福山劉河南滙四營並統轄狼山
蘇松二鎮狼山鎮有狼右掘港二營蘇松鎮有
中左右奇川沙吳淞六營此內漕標東海營與
山東登州鎮標前營接汛以海州鶯游山為南
北分界洋面蘇松鎮駐劉崇明四面環海與浙
江之定海鎮標營分毗連以外洋陳錢山為江
浙分界洋面其各處口岸惟劉河吳淞二營有
稽查商船出入之責而吳淞一營尤關緊要蓋

蘇鎮四營為浙洋入江之門戶而吳淞營又為
入口之要隘也臣仰蒙
恩命兼署督篆職司統轄斷不敢以暫時署事稍有
怠忽查廟灣營所屬海口有二一曰潮河一曰
灌河潮河即南北兩关為黃河出海之口臣因
查閱海安工程親至其地祇見有採捕小船並
無貿易大艄曾詳詢營弁知海清河濁潮落沙
沉洋面結有五條沙向東直出又有大沙自鹽

城境起南北横亘千里沙尖與鶯游山相對為
淮海一帶海防保障以故南北往來閩粵等省
船隻不敢駛行必須開放大洋繞越而過至松
江地方吳淞川沙二口濱臨內洋但遇東南風
順海船即可由浙洋斜駛逕入蘇松鎮所轄洋
面卷查道光十二年間曾有嘆咭唎夷船駛至
江南之羊山寄椗當即嚴驅出境檄據蘇松鎮
查明所轄洋面相連浙省自西至東以山為界

山之屬江南洋界者為老羊山馬蹟山陳錢山
其屬浙江洋界者有小羊山黃龍山盡山諸山
均相隔不遠此外則東望無際全是深水外洋
凡極大商船及夷船行涉深洋者均以盡山為
標準議請兩省派巡兵船隨時在山瞭望如有
夷船竄入即押逐出境交替護送不容任其北
竄經前督臣陶澍咨准浙江撫臣添議兩省巡
船於每月朔望過界會哨一次各在案現在廣

東查辦嘆夷既經嚴行驅逐出口該夷反覆無
常誠如
聖諭難保不將違禁貨物分寄銷售前此西北風當
令之時或可無虞竄越現交春令風轉東南或
至乘風北竄防範更應嚴密臣遵即通飭沿海
各地方官嚴密稽查預防奸民勾引接濟並守
口各員弁及巡洋舟師認真巡查瞭望如有夷
船竄入各口即會同驅逐盡淨隨咨行撫臣裕

諭署提臣田松林就近督防並以海洋示威制
勝首重火攻札飭鎮道查驗砲臺整理器械隨
時加意訓練一面咨會浙江撫臣烏爾恭額飭
令水師將弁遵照定章依期會哨均勿稍任懈
弛如有應辦事件容再會同撫臣裕謙籌商妥
辦以期仰副
聖主慎重海防諄諄告誡之至意所有遵
旨查辦緣由先行恭摺具

奏伏乞

皇上聖鑒訓示謹

奏　二十年正月十九日拜

進　二月初十日奉到

硃批認真妥辦隨時有應奏者核議奏聞欽此

請融淮北協貼摺

奏為通籌兩淮鹺務情形設法趕辦奏銷以重度

支而資造報恭摺仰祈

聖鑒事竊照己亥綱淮南奏銷應於本年二月造報

上年十二月臣於抵任後即經查核應完鹽課

計己亥本綱共入奏正雜銀一百八十餘萬加

以帶乙一分及丁酉戊戌二綱未完殘課共應

報徵銀二百數十萬兩而自上年三月開綱以

後運庫報收商課尚不及十分之四臣以限期
緊迫豈容稍事玩延當即嚴飭運司督催完納
旋據盐運使沈拱辰稟稱上年江廣被水灾地
缺銷各岸積引過多商本佔擱回課不繼遂致
輸納愆期加以丁戊二綱均經奏提綱食盐二
十二萬引融運淮北商力勉可支持今則已奉
部駁不能再行融北引數既多課數益形短少
等語臣查淮南奏銷歷綱造報八分數釐今即

准其照案融兆而已亥正帶各課所短尚多何
得任聽支飾致違奏限復經嚴札飭催去後兹
據該運司禀稱丁戊二綱殘課及帶乙一分銀
兩經該司設法籌催尚可勉期造報惟已亥正
綱短銀三四十萬即係不准融兆之數商力積
疲追呼無濟若再嚴行驅迫大局即虞渙散等
情伏思兩淮塩務自前督臣陶澍整頓以来惟
淮兆票塩大收成效淮南則引繁課重歴綱造

報奏銷辦理均形竭蹷惟該督臣善於酌劑南
北籌融始得價符奏報今臣甫經受事於塩務
素無所知若欲駕前督臣而上之舍融北而仍
敷造報自問實有不能然竟使一籌莫展坐令
貽誤奏銷
國計攸關又何以仰酬
高厚因與該運司反覆講求融北一節雖經部駁而
在前丁戊兩綱若非

壽香室

恩准融北奏銷不過六分有奇是欲先事綢繆即不
能再請融北而變通盡利還須有舊貫因仍之
意查道光十八年
奏明淮北原額奏銷之外每年協貼銀三十六萬
餘兩原係應解淮南雜欵今若以此暫行劃抵
正課俟造報後飭令綱食各商勒限三個月全
數完足歸還協貼銀兩以應解欵仍不致有稽
遲如此一轉移間淮南奏銷既得如常造報淮

北協貼仍可轆轤支應而商課稍寬時日商力
藉資展轉似與裕課恤商均有裨益據鹽運使
沈拱辰具詳請
奏前來合無仰懇
聖恩俯准以淮北協貼銀三十六萬餘兩歸入淮南
己亥奏銷暫行造報仍飭令綱食各商出具自
奏銷後三個月內全數交清歸還協貼銀兩限
結俾得按限清還感荷

鴻恩實無既極臣初兼鹺政於運司商人無所用其
迴護非不知按數催追如違即加懲辦而限期
伊邇欠完尚多若一味從嚴恐商力難支立形
倒敝縱使治以應得之罪仍未免貽誤奏銷無
項報撥轉瞬庚子開綱愈復無從措手用是統
籌大局稍事變通謹將奏銷實在情形瀝陳於
聖主之前伏乞
訓示遵行謹

奏二十年正月十九日拜
進二月初十日奉到
硃批戶部議奏欽此尋准部議引課各有定額原不
容稍有混淆惟查淮北溢課銀
兩前已奏明協貼淮南雜欵而正課尤關緊要
令請將此項先行劃抵係為分別緩急起見應
如所請并令嚴飭各商於奏限三個月全完奉
旨依議欽此

縷陳工用摺

奏為縷陳近年工用數目情形恭摺仰祈
聖鑒事竊臣於二月二十四日接准部咨道光十九
年十二月二十五日内閣奉
上諭據工部奏本年東南兩河另案工程銀數朕詳
加披閱東河另案各工比較上三年均能逐年遞
減南河動用各欵本年八月内該河督奏請撥銀
五十萬兩茲據該部彙奏另案各工共用銀二百

七十五萬餘兩比較十八十七兩年多至二十餘
萬兩較十六年僅少用一千餘兩國家經費有常
兩河另案工程該河督等總須力加撙節若逐漸
加增年復一年伊於胡底麟慶著傳旨嚴行申飭
嗣後南河另案各工著該河督督率各道核實勘
估倘任聽虛糜仍復有增無減必將該河督重處
不貸凜之欽此臣查上年另案工用較比十七八
年俱多未能撙節正切悚惶迺蒙

聖慈不加嚴譴僅予申飭感愧莫名惟是上年秋汛
河湖並漲又值異常風暴危險疊生幸蒙
恩准添撥五十萬兩始得保護無悞所有工用除霜
後所辦須俟本年查造外其餘搶辦各工均已
歸入清單並非另行開報伏念臣受
恩深重職領河防具有天良豈敢不思節省帑水勢
大小不一工程夷險莫定不能不隨時增減溯
自到任以來十五年另案用銀二百九十四萬

為最多十六年即比十五年少用十八萬九千八百餘兩十七年又比十六年少用二十三萬九千八百餘兩十八年又比十七年少用三萬九千一百餘兩原因

國家經費有常力求撙節冀得逐年遞省稍紓

宸廑詎料上秋水大工險事與願違不敢專圖節減以致用數比十七八年多至二十餘萬然比之十五年尚少用十七萬七千餘兩因在三年以

前摺內未經比較且十五年用數在臣任內為
最多而以比之前任十二十三等年另案用銀
三百三十餘萬至三百八十餘萬兩實多節省
曾經
欽差尚書臣朱士彥將嘉慶十六年起查至道光十
六年止開單具
奏并歷年報部有案可稽茲蒙
訓飭不得不將下情據實陳明嗣後惟有用所當用

節所當節以冀永保安瀾仰副
聖主垂慈告誡之至意謹恭摺具陳伏乞
皇上聖鑒謹
奏　二十年三月初二日拜
進　三月二十六日奉到
硃批該部知道欽此又於十二十三等年句旁奉
硃批以前任數多者支吾比較有天良者不應如此
存心取巧也欽此

京察謝　恩摺

奏為恭謝

天恩事竊奴才於二月二十八日准吏部咨道光二十

年正月二十六日內閣奉

硃諭三載考績激揚是重滿漢諸臣有能公勤任事

實心實力者必當甄叙年老而精力並不衰頹者

仍應留任茲當京察之歲該部將京外諸臣開單

題奏朕一一詳核大學士穆彰阿潘世恩王鼎矢

慎矢公贊襄攸賴刑部尚書祁埴執法精詳奉公
敬慎大學士直隸總督琦善坐鎮畿疆克副委任
協辦大學士兩江總督伊里布久任雲南邊防靜
謐江南河道總督麟慶河東河道總督栗毓美慎
厥修防安瀾奏績俱著加恩交部議叙餘著照舊
供職特諭欽此伏念弩知識庸愚勉循職守八年
以来仰蒙
聖訓周詳得以安瀾頻奏上屆欽承

手詔方虞報稱為難乃去年另案工用較多荷蒙
諭旨嚴飭本年
欽差大臣恩桂等臨工查料復有空虛散漫正深惶
悚時凜冰淵茲三年
懋典之幸逢復
九陛
温綸之載錫在
聖主如天之度宥過獎功而努內疚之忱感

恩滋媿惟有勤加查察益慎修防以期撙節力圖安
恬永保仰報
高厚鴻慈於萬一所有欣榮幸感激下忱理合恭摺
叩謝
天恩伏乞
皇上聖鑒謹
奏　二十年三月初二日拜
進　三月二十六日奉到

硃批覽欽此尋准部議應各照例議敘加一級該河
督任内有降七級留任均係不准抵銷
之案應毋庸查辦仍准加級註冊奉
旨麟慶著加一級欽此

請奬催課各員摺

奏為催徵課餉各員辦公出力援案懇

恩量予鼓勵仰祈

聖鑒事竊照兩淮運庫歲徵額課銀數百萬兩在岸則楚課最大在揚則商課尤多全賴委員庫官認真提催方資應手茲據鹽運使沈拱辰詳稱兩淮候補運判鄭士彥於道光十七年冬間委赴湖廣漢岸催收緩納課銀兩年以來計提緩

課銀二百數萬餘兩經理疏銷事宜尤徵妥協
督商撙節岸用不任稍有浮逾潔已奉公羣情
悦服現因差竣回揚經湖北鹽法道咨請優獎
查十三年楚岸提課委員候補大使邱宗榆曾
經前督臣陶澍奏請以本班儘先補用十六年
楚岸提課委員候補鹽經歷孫玉樹又經前督
臣陶澍會同湖廣督撫臣訥爾經額等奏請免
補本班以兩淮鹽運判升用均蒙

恩准在案應請援照將候補運判鄭士彥遇缺儘先
補用又廣盈庫大使宋佩紘在任七年收支商
課二千數百餘萬詳慎勾稽毫無舛悞近來揚
商疲乏催課倍難該大使不避嫌怨竭力催追
實屬盡心職守查上年海州分司運判童濂因
請運票鹽一百八十餘萬引徵收票稅二百七
十餘萬兩經前督臣陶澍奏懇獎勵蒙
恩賞加五品頂戴以應升之缺升用在案該大使宋

佩紘六年俸滿曾經保薦入於卓異班内升用
十七年捐修
文廟復奉
旨以知縣用本係按班早應升補之員兹擬懇加知
州銜詳請具
奏前来伏查兩淮課項因商力積疲完納不前已
非一日自前督臣陶澍擇人任使激勸得宜雖
督運督徵事由運司總理而印委各員奉公奔

走爭自奮勉不肯鬆勁始能指臂收效充積庫
儲是懋賞未可濫邀而用人須資駕馭即如上
年臣仰蒙
恩命權理鹺綱適當趕辦奏銷飭司多方籌畫幸能
於兩月之內報完奏課銀二百二十九萬餘兩
該大使宋佩紘奉命差追不遺餘力平時既慎
司出納遇事復勉效微勞候補運判鄭士彥隔
省駐守兩載有餘所提課銀較比師宗榆等數

目有增無減均似應量加獎勵合無仰懇
天恩俯准以候補運判鄭士彥遇缺儘先補用庫大
使廾用知縣宋佩紘
賞加知州銜用示激勸之處出自
鴻施謹恭摺具陳伏乞
皇上聖鑒謹
奏二十年三月二十二日拜
進四月十二日奉到

硃批另有旨欽此　四月初三日内閣奉
上諭麟慶奏催徵課餉各員懇恩鼓勵一摺兩淮候
補運判鄭士彦經理漢岸疏銷事宜並催收課銀
尚屬出力著加恩准其遇缺儘先補用庫大使升
用知縣宋佩絃催巡商課著有微勞着賞加通判
銜以示奬勵欽此

拏獲朝鮮難夷錄供摺

奏為黃河海口拏獲夷人七名先取供詞仍飭解

地方官訊辦恭摺仰祈

聖鑒事竊臣前因浙洋不靖江省洋面在在毘連臣

標廟灣營所轄各海口亦關緊要當飭該管文

武隨時嚴防

奏明在案茲據廟灣營遊擊王瑞轉據千總陳珺

稟稱七月十八日在黃河海口巡探見有小船

一隻駛近海灘船式與内地不同當同佃湖營
都司安振國所派外委張秉淳阜寧縣知縣錢
兆麟所派差役蔣淦等帶兵上前查看該船長
僅二丈内有七人蓄髮挽髻身穿白圓領衣褲
服色異常隨即捕獲細加搜查船内並無軍械
惟於該夷人身邊搜出字紙十七頁一併解審
旋據阜寧縣稟獲到夷人七名言語不通授以
紙筆内有一人能寫漢字自稱名金萬成其餘

六人名高天德高漢玉崔難喆車榮公尹京錄
尹光玉皆係朝鮮國全羅道江津縣人因送海
物交官回棹於七月十二日遭風漂流到此等
供臣以事關夷匪批飭提訊由淮海道趙廷熙
准安府知府恩齡督同清河縣知縣唐汝明候
補知縣金洪審解前來隨即親提覆訊無異檢
閱搜出字紙除帳目二紙無關緊要外其時憲
書九頁係己亥年分遵奉

天朝正朔末幅刊有崇祿大夫折衝將軍等官銜其
為朝鮮之人似屬可信惟詰以今年遭風何以
攜帶上年憲書則供係舊在囊中之物又印文
一件末署戊戌年三月雖係漢字草書而語句
多不明晰且起首有傳令為星夕舉行事等字
樣用印三顆篆跡模糊詰以何處印信據供本
縣又詰文內何事則供係伊故父金重九充當
面長時所領詰以現在攜之何用則人稱舊在

囊中等語又印板夷書五頁字類箕碼惟中間
篇數係漢字詰問何國之書有何用處據供係
該國唱本字既不識殊難憑信復查夷船遭風
漂到沿海各口事所常有惟當此防堵喫緊之
際誠恐有勾結㖠夷情事自宜倍加詳慎而清
江浦並無通事偏訪所屬亦無通曉朝鮮國語
之人臣衙門又無刑訊之責未便懸斷除飭縣
循例解省聽候督撫臣核辦具

奏外所有黃河海口拏獲夷人訊取大概供情謹
先恭摺具陳伏乞
皇上聖鑒謹
奏二十年七月二十八日拜
進八月二十七日奉到
硃批另有旨欽此八月十七日内閣奉
上諭麟慶奏拏獲夷人訊供解省一摺據奏黃河海
口拏獲夷人金萬成等七名訊係朝鮮國人遭風

漂流等語著該河督即派妥員將該夷人等解送
禮部聽候訊辦欽此
尋准部咨傳集朝鮮通官德
祿等將該夷人訊問金萬成
等皆係朝鮮國江津縣人因送海物交官回棹
於七月十二日遭風十八日漂流至黃河海口
被營兵盤詰送案至原搜獲該夷人身邊字紙
十七頁內有十九年時憲書九頁又漢字草書
三張其一有印文花押係金萬成之父金得魯
充役時該國縣官所給諭帖餘二頁官差賬篇
又印板字蹟五頁訊係該國恩門字當令通官
認識稟稱實係該國唱本字樣合將訊問情形
具奏奉
旨妥為安置交本國人帶回欽此

請嚴緝私硝夾片

再㖆夷前在定海滋事毘連江省洋面臣標廟灣營所轄各海口亦關緊要當飭嚴密巡防奏

聞在案惟思該夷敢於猖獗所恃者砲砲火之利全在火藥傳聞該國出產沙藤灰可充砲藥而亦必得硝磺攙和製成方能得力且磺主橫而硝主直致遠尤在於硝配用較多硝磺均產自內地該逆夷難保不勾結奸民購運接濟而漢奸

私販牟利勢所不免查硝磺久干例禁但恐奉行不力當此海洋不靖欲制英夷死命尤須嚴加禁絕庶可收效將來是以臣於六月間即札飭所屬各營在海口河道留心巡緝茲據兼署中軍副將呂邦治稟稱據舊城汛千總熊魁先等督率弁兵縣役在黃河北岸王家莊拏獲販賣私硝人犯賈泳昌馬五等二名並在陳姓小划子船上起出私硝十包共二百五十餘斤等

情除将人犯硝斤飭交地方官嚴行究辦弁兵
由臣酌奨外查此起雖為數無多而私販已屬
有據誠恐尚有漢奸乘機販賣由黃河運赴海
口偷漏接濟現又嚴飭各營在河海各要隘加
緊查拏並移咨督臣撫臣飭屬申禁淮海等關
認真稽查不敢稍有鬆懈合併附片陳明伏乞
聖鑒謹
奏　二十年九月初五日附

進　十月初一日奉到
硃批所辦甚好隨時嚴行查緝欽此

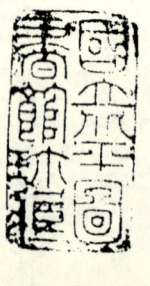

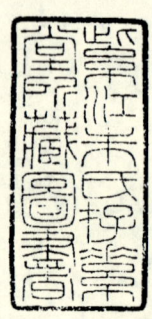

奏稿

二十一年

謝　賞福壽字摺

奏為恭謝

天恩事竊奴才貴摺差弁回浦奉到

頒賞

御書福字壽字各一方鹿肉麅肉湯鹿肉一分謹即

恭設香案望

闕叩頭祇領伏念奴才奉職南河承

恩北闕欣辛盤之作薦撫丑序以迎祥兹復仰荷

宸翰親揮春祺特沛

賜書多福

錫壽三朋既贍

羲畫之同文更拜

堯廚之分惠茲敬思福者備也何以備宣

聖德於蒼生壽者酬也何以酬報

隆施於丹陛焉齒加長蚊負為虞惟有勤督修防稍

紓報稱喜

一人之有慶日升月恒頌
萬壽之無疆河清海晏所有感激榮幸下忱謹繕
摺叩謝
天恩伏乞
皇上聖鑒謹
奏　二十一年正月十三日拜
進　二月初三日奉到
硃批覽欽此

查保緝硝員弁摺

奏為遵
旨酌保緝捕出力員弁並陳續獲私硝二萬三千餘
斤恭摺仰祈
聖鑒事竊照上年十二月二十日内閣奉
上諭麟慶奏營員拏獲私硝人犯請量加鼓勵等語
南河中右兩營員弁在黃河一帶先後拏獲私硝
七千餘斤緝捕尚屬勤奮著該河督擇其尤為出

力者酌保數員候朕施恩毋許冐濫欽此仰見我
皇上激勵人材微勞必錄臣宣示所屬同深欽感伏
查砲火之利全在硝磺磺性主横硝性主直配
藥致遠硝居其七且外夷倭境止產硫磺硝則
產自內地上年暎夷在定海滋事臣風聞硝價
漸增深慮沿海奸民乘機牟利偷漏接濟當即
飭屬留心巡緝緣焰硝見水易化夏秋雨多私
販尚少僅獲一起迨交深冬風燥夜黑最易潛

行復經嚴飭查拏隨據中右兩營弁兵曡獲兩
起均經奏
聞在案臣因第三起硝斤雖多犯未弋獲嚴督營縣
緝捕復思現在堵緝過緊硝犯到此不敢南下
勢必暫行囤貯隨後乘隙潛運又飭各營在沿
河一帶密加跴訪旋據兼署中軍副將呂邦治
稟十二月初六日夜千總熊魁先等會同漕標
淮關府縣各兵役在黃河鐵心壩隄下草棚内

起出囤積私硝四十二包秤重四千一百六十斤拏獲硝犯趙興蘭一名初七日夜又會同在兵四堡黃河灘上蘇孔氏棚内起出囤積私硝五十三包秤重五千六百斤獲犯丁得等四名女犯蘇孔氏一口又初九日據海防河營目兵鄭永密報訪得黃河南岸孫家莊有積囤私硝該署副將呂邦治即會同署右營遊擊黃永清清河縣知縣唐汝明督率兵役連夜前往密拏

經千總安振業等搜起私硝三十一包又看出
地窖三處刨獲硝塊甚多共秤重一萬三千八
百斤並獲犯岳懷得等二名又十七日據署右
營遊擊黄永清稟派兵在運河訪有私硝裝船
下行隨經中營千總安振業等於是夜帶兵截
拏計獲硝犯卯從善等三名起出蒲包四个褡
連兩个口袋一條並在各犯身上搜出白布背
褡兩个均藏私硝共重二百五十斤旋據清河

縣知縣唐汝明禀報緝獲硝犯劉尚得李泳祥等六名各等情查該犯等胆敢販硝至盈千累萬之多實屬大干法紀且埋藏地窖裝貯背褡踪跡詭秘必應從嚴究懲除飭交地方官訊辦責成勒緝逸犯並諄飭各營於河海要隘認真查拏不任稍涉鬆懈外計河標中右兩營先後盤獲私硝七起共重三萬餘斤現俱照署督臣裕謙劄飭委員解交蘇州上海總局製配火藥

應用該員弁等緝捕尚屬認真茲蒙
天恩飭查保奏臣謹併案酌核兼署中軍副將河營
遊擊呂邦治督率有方惟職分較大不敢乞
恩所有購線送信兵丁由臣分別獎拔其餘出力員
弁衆多俱已存記諭令如果隨後拏獲大夥私
硝再行
奏保此次恪遵
聖訓不敢冒濫謹擇其尤為出力之同知銜清河縣

知縣唐汝明恭懇
恩准以同知儘先升用署右營遊擊中營都司黄永
清中營千總安振業舊城汛千總熊魁先俱懇
恩准各以應升之缺即行升用以為嚴禁接濟者勸
所有遵
旨酌保出力員弁並續獲私硝匪犯緣由謹恭摺具
陳伏乞
皇上聖鑒訓示祇遵謹

奏 二十一年正月十三日拜
進 二月初三日奉到
硃批另有旨欽此 正月二十二日内閣奉
上諭麟慶奏遵旨酌保拏獲私硝出力之員并懇恩
鼓勵一摺南河兼署中軍副將河營遊擊吕邦治
著交部議叙同知銜清河縣知縣唐汝明著以同
知儘先升用署右營遊擊中營都司黄永清中營
千總安振業舊城汛千總熊魁先俱著以應升之

缺即行升用以示鼓勵該部知道欽此

察看黃河海口幷團練河兵夫片
再前因海氛未靖臣標廟灣營所轄黃河灌河
射陽湖各海口直通大洋均關緊要當飭該管
將弁嚴密巡防奏奉
硃批認真防守不准稍懈欽此欽遵在案茲臣親至
海安廳所屬黃河海口看得雲梯關以下河寬
溜激歸墟暢順迤東百餘里至南北兩夾河海
交匯之處萬頃波濤一望無際查口外雖有攔

沙疊護潮長則沉潮落即現素稱天險但詢之
土人考諸簡冊祗閩廣尖底大船畏其淺擱不
敢攏近其餘平底商漁船隻皆可駛行前明倭
寇及
國初海賊鄭成功等滋事時均曾駕杉板小船潛
來窺伺為明將盧鏜前漕臣庫禮等所敗現在
江蘇洋面雖無夷船遊奕而向後南風司令海
潮漸旺廣東大兵雲集逆夷潰散之後難保不

乘風竄突不可不預為防範茲值捕鱑釣[魚帶]之
期絲網滬漁船朝出暮歸不下數百更恐有偷
漏硝磺及私販違禁貨物等事當經面諭守口
員弁刻刻認真稽察不准稍涉疎懈並飭幹弁
密許漁戶重賞藉作哨探以備不虞再海滬遼
闊汊港分岐匪棍私梟最易藏匿前河臣于成
龍齊蘇勒等在黃河海口內地淤灘先後
題設葦蕩左右兩營樵採官兵本係於慎重工料

之中隱寓防守海疆之意是以臣於上秋即飭
該兩營及近海各河營自選壯勇兵目團練技
藝有事可備調用無事仍歸本伍較之鄉勇易
於鈐束所有盤費器械該廳營等羣知急公自
願捐辦淮海道趙廷熙往來查看亦極認真昨
臣順道按營校閱俱屬可觀即分別奬勵仍飭
勤加教習俾資彈壓而壯聲威合併附片陳明
伏乞

聖鑒謹

奏　二十一年四月十六日拜

進　五月初九日奉到

硃批認真練習妥辦欽此

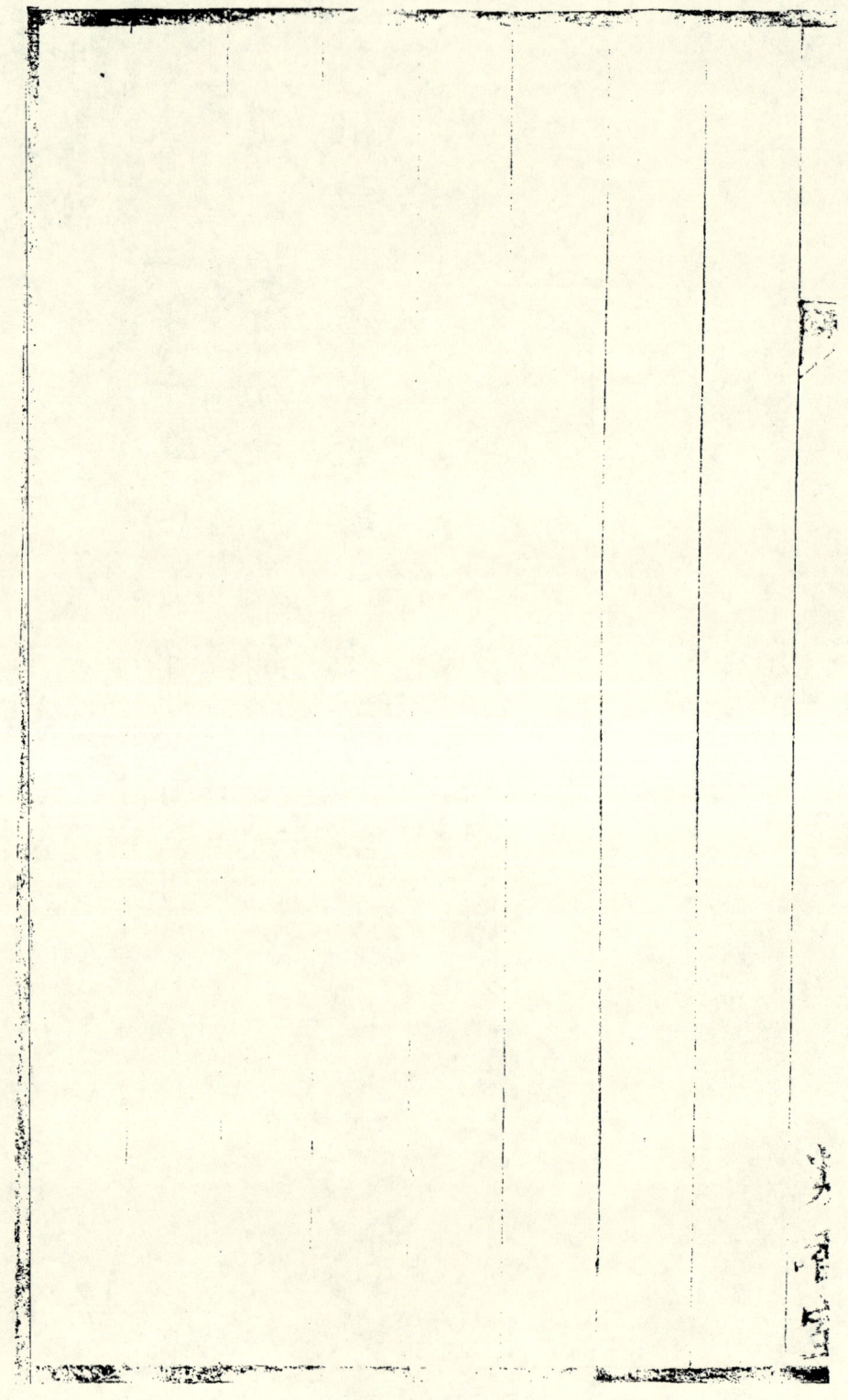

黃河異漲搶險摺 并夾片

奏為立秋前後黃河異漲險工疊生分投搶護茲近處暑漲水陡消各工平穩恭摺仰祈

聖鑒事竊照本年黃河水勢伏前增長次數較勤當飭各委員加謹巡防添料易錢分工存貯並派在工學習之翰林院編修劉涝兵部員外郎陳景淳戶部主事全安瀾分往徐揚海三屬巡查以期周密迨交中伏大雨滂沛三晝夜積陰蒸

溼水勢日增又據上游馳報沁黄疉漲而陝州
萬錦灘徑報一日陡長九尺六寸為從來所未
有臣恐各員弁驟遇非常異漲或致倉皇失措
隨飭道將督率該管廳營汛委分段駐防並諭
務須協力同心守望相助復派署淮徐遊擊盧
永盛署淮揚遊擊陳三貴馳赴上下游會督防
守比交立秋大致甫定因恐厪
聖懷當將伏汛安瀾恭摺

奏報在案臣方冀漲水漸消詎甘肅寧夏府又報
六月十四日黃河長水三尺一寸連前共長一
丈一尺二寸已入硤口誌樁十一字二刻跡河
南陝州萬錦灘又報六月十八及二十二日長
水五尺八寸以致江境各廳仍復接長外南廳
順黃壩誌樁積存至四丈四尺四寸亦為從來
所未有上下千餘里普律漫灘河流倍形浩瀚
溜勢異常湍激旋據徐州道毓衡稟報宿北廳

皂河汛夫二十四堡舊埽迤下桃汛時河勢裹
卧即經搶辦茲緣水長溜益圈注又該汛夏家
庄迤下無工處所大溜北趨塌灘潰隄該二處
逼近運河及宿遷縣城情形緊要馳赴該工親
督搶護計夫二十四堡舊埽迤下先後共築土
壩五道用料盤頭接下兵二十二堡搶做柴壩
九道各壩外均拋碎石並於夏家庄迤下搶鑲
新埽一百二十餘丈又古城汛林家房舊壩下

首添築土壩五道抛石偎護嗣據淮徐遊擊盧
永盛稟邳北報險馳往察看該廳屬臨黃各工
因水大溜激紛紛蟄塌當同廳營分投跟鑲適
接對岸睢南廳函稱王家堂汛石磚工迤下壩
檔淤閉護埽被溜掣塌邀往搶辦該遊擊因邳
北工程緊要不克分身隨派千總杜士貴帶兵
冒險渡河隨同睢南廳營搶鑲新埽九十餘丈
幸保無虞又據護淮揚道沈鵬稟桃南廳龍窩

汛尹家庄無工處所溜湧塌灘趕廂新埽六十
餘丈適京員陳景淳行抵該工即會同連夜在
隄上搶護三更後遥望隔河火光燭天人聲騰
沸驚疑差探知桃北廳水漫頂隄時當昏夜危
在呼吸該廳營運料搶鑲赶加子堰就近農民
聞險上隄幫同力作達旦始定隨據淮海道趙
廷熙稟桃北黄家嘴汛高家房迤下向本無工
溜忽卧注搶鑲新埽八十餘丈又海安廳海北

汛孟家社迤下舊工復出朽埽滙浄亦即趕緊補鑲此外上自豐蕭下至安阜兩岸各廳迎溜埽段頻蟄頻鑲無工處所大隄脫坡窨潮滲漏屢見經道將督飭廳營或趕加子堰或幫築裡戧或鑲作防風護埽無如水勢積長不消隄工則隨加隨長埽工則隨廂隨漫幸料物充足各員弁均奮不顧身鼓勵兵夫悉力抵禦恰值漲水陡落各工始臻穩定至洪澤湖高堰誌樁現

存水一丈八尺三寸閘遇風暴均不甚大石工掣卸無多已飭隨時修補其下游揚河揚粮境内流行暢順惟秋汛正長西風司令臣不敢因漲水已消稍弛寅畏仍當策勵所屬加意修防以期仰副

聖主平成水土至意所有黄水異漲險工搶護平穩緣由理合恭摺具

奏伏乞

皇上聖鑒謹

奏 二十一年七月初四日拜

進 八月初一日奉到

硃批知道了欽此

再臣正在繕摺間接據徐州道稟報探聞河南祥符汛南岸有漫溢之事臣昨見河水陡落本切驚疑當遣弁張成功等赴上游查探順黃壩連日又落水八尺有餘溜行平緩恐漫口已成曷勝焦急溯查嘉慶年間睢工儀工漫水均由該省歸陳所屬及安徽鳳潁一帶滙注洪澤湖今年湖水本旺若再添全黃灌入勢難容納高堰山盱一線單隄為淮揚二郡保障且此後西

風司令勢尤喫重必須循案拆展束清禦黃二
壩啟放順清河吳城七堡等處瀉水入河並添
啟山盱各壩由揚河揚粮歸海歸江各路分迸
宣洩事務極繁防守倍要一切機宜均須隨時
酌辦現在湖水報長臣即諭道將趕將束清西
壩拆展俟湖水再增刷隄先放外南廳屬順清
河及吳城七堡以資分減惟七堡工舊日放水
之處臨黃一面外有高灘已飭抽挑寬大溝槽

均即發銀趕辦其禦黄壩則擬暫緩緣近年来
均係灌塘濟運與從前情形不同該壩一經展
寬堵閉費手且須拆去臨清堰啟除臨黄堰草
閘替河需用浩繁將来重建尤為多費不得不
通盤籌畫稍分先後其山盱禮智信三壩早已
啟放減水由高寶湖運河循序歸江現在江水
亦大時見頂阻若再添啟湖壩恐下游消納不
及運河東隄吃重又須啟放高郵四壩淹及下

河民田查本年江境處處雨多水大惟下河可
望秋收是以亦擬從緩再行相機酌辦至江境
黄河即日清水暢出外南北以下得此刷滌河
身淤沙濟運田空均有利益惟自外南北以上
直至河南交界流緩沙停立見淤墊勢不能不
大加挑濬目下不克兼顧另容次第籌辦合將
預備漫水注湖放清刷黄緣由附片具
奏伏乞

聖鑒謹
奏 二十一年七月初四日附
進 八月初一日奉到
硃批另有旨欽此 先是七月二十四日准
軍機大臣字寄七月十八日奉
上諭麟慶奏祥符漫口豫籌拆壩啟放等語現在祥
符漫口大溜業已全掣若由該省歸德陳州一帶
轉入安徽滙注洪澤湖勢難容納該河督將東清

西壩拆展侯湖水再增刷隄先放外南廳順清河
及吳城七堡以資分減著即督飭道將趕緊興辦
所奏緩啟禦黄壩一節固為工費繁重起見惟全
黄灌入湖身不能容受則高堰山盱堤工喫重淮
揚等處情勢可危著該河督豫為籌備如禦黄壩
必須拆展即一面奏聞一面相機趕辦其山盱三
壩啟放歸江擬請亦從緩辦之處亦著酌量情形
分別辦理儻稍存大意致失機宜設遇全黄灌入

江境一時措手不及致有疎虞惟該河督是問所
奏清水暢出刷沙濟運外南北以上直至河南交
界挑濬淤墊等語著俟勘定黃水入境要工後次
第籌辦將此諭令知之欽此

遵保賢員摺 附名單

奏為遵

旨保舉所屬人員出具考語仰祈

聖鑒事竊准部咨五月二十日欽奉

上諭直省道府廳州縣人員平日立品居心官聲輿論各督撫見聞所及隨時察看自必知之最悉著各於所屬道府廳州縣中擇其潔己愛民誠心任事確有實據者出具切實考語秉公具摺酌保數

員候朕簡用該督撫務當各矢公忠據實保舉毋
稍瞻狥冒濫用副朕立賢無方至意欽此伏思為
政在人知人匪易且事有緩急才有短長忠厚
老實謹守繩尺者每才不副用遇艱鉅而反致
無功聰明才智動出範圍者或言過其實喜矯
飾而易於僨事所以從古詢事考言必要諸底
績也茲蒙
聖諭查舉賢員先之以立品居心証之以官聲輿論

循名責實澄叙有方臣恪遵

訓誨悉心慎選計自十三年到任以来於兹九載從不敢包荒不肖亦不肯輕棄幹員蓋緣全才難得中質居多惟有時加策勵庶幾奮勉圖功且一人之心思有限衆人之智慮自周况淮揚素稱澤國河湖蓄洩隄岸防守所關於運道民生者最鉅更非羣策羣力不能奏績兹查所屬砥行礪名立心向上堪備

簡用者實不乏人如前任淮揚道加鹽運使銜今在
部候選道李國瑞前任揚州府知府後升陝西
督糧道今丁憂回籍劉源灝前任宿遷縣知縣
今揀發江蘇候補知縣張志遂均屬體用兼優
官聲素著但現已離工未便敘保又如現任江
蘇淮安府知府恩齡安徽泗州直隸州知州張
應雲高郵州知州朱榮桂江蘇桃源縣知縣龔
照琪山陽縣知縣張用熙銅山縣知縣趙毓丹

江都縣知縣周際華甘泉縣知縣盧元良或留
心河防或盡心民事操守才具各有所長但俱
係兼河屬員應仍歸督撫核舉臣謹於專河所
屬各員内據見聞所及擇其堪膺保舉者出具
事實考語恭繕清單伏乞
皇上聖鑒謹
奏　二十一年七月初四日拜
進　八月初一日奉到

硃批知道了欽此　尋准部咨八月二十六日奉

上諭此次各省督撫保舉人員所有圈出之員著吏

部調取引見單併發等因欽此計開南河總督麟

保奏奉

硃筆圈出何俊晏曙東任為琦唐汝明

八月初九日奉

上諭河東河道總督著朱襄補授欽此

十二月初十日晏曙東赴部引

見奉
旨著回任欽此十三日奉
上諭陝西同州府知府著汪于泗調補所遺揚州府
知府著晏曙東補授欽此
二十二年二月任為琦赴部引
見五月二十日奉
旨安徽安慶府遺缺知府著任為琦補授欽此
二十二年三月何俊赴部引

見四月二十五日奉
旨廣西桂林府知府著何俊補授欽此

謹將南河所屬堪勝保舉各員出具考語恭呈

御覽

署江蘇按察使事淮揚道朱襄安徽進士現年五十歲

潔已奉公安詳穩練讞獄平允明習修防歷

署藩司臬司印務辦理裕如足資表率

河庫道黎攀鏐廣東進士現年四十二歲

悃愊無華辦事詳慎曾任福建興泉永道詢

以地方事宜通達治體

知府升用升銜海防廳同知何俊安徽進士現年四十五歲
年力富強才識明敏於河防吏治均能認真
講求通知政要
知府銜銅沛廳同知晏曙東雲南舉人現年五十五歲
人軒爽辦事克勤由大挑到工年久前在桃
源縣知縣任內承辦十三年灾務賑撫妥帖
知府銜海阜廳同知任為琦河南進士現年四十二歲
強幹有為修防認真因黄河海口在廳属地

方自上年至今捐資團練約束嚴明洵有理
繁治劇之才
署揚河廳通判事同知銜清河縣知縣唐汝明
四川舉人現年四十七歲
才具明幹遇事勇往本年緝獲私硝奉
旨以同知儘先升用現署揚河通判巡防勤慎

復陳漫水入湖籌啟各壩夫片

再臣承准軍機大臣字寄道光二十一年七月

十八日奉

上諭麟慶奏祥符漫口豫籌拆壩啟放等語現在祥符漫口大溜業已全掣若由該省歸德陳州一帶轉入安徽滙注洪澤湖勢難容納該河督將束清西壩拆展俟湖水再增刷隄先放外南廳順清河及吳城七堡以資分減著即督飭道將趕緊興辦

所奏緩啟禦黃壩一節固為工費繁重起見惟全
黃灌入湖身不能容受則高堰山盱隄工吃重淮
揚等處情勢可危著該河督豫為籌備如禦黃壩
必須拆展即一面奏聞一面相機趕辦其山盱三
壩啟放歸江擬請亦從緩辦之處亦著酌量情形
分別辦理倘稍存大意致失機宜設遇全黃灌入
江境一時措手不及致有疎虞惟該河督是問等
因欽此臣跪讀之下仰見

聖主洞悉機宜慎重河防周詳訓示曷勝欽服伏查
全黃入湖啟放順清河宣洩各緣由前經
奏報在案旋據各工員稟報清口替河及吳城七
堡趕挑完竣臣即於本月十六十八等日查驗
啟放祇因
國家經費有常入值多用之秋不得不力求撙節
是以禦黃壩先擬緩拆嗣察看湖水日增未敢
拘泥當飭道廳將該壩先拆二十丈隨於二十

一日啟除臨清堰導引清水歷禦黃壩至替河入黃並將東清西壩全行拆展俾資暢洩查湖水現由順清河吳城七堡及替河三處滔滔外出臣連次親履測探水深二丈至四丈有餘逐日淘深流行極暢無如來源過旺消不敵長仍須添籌去路查山盱禮智信三壩早已啟放尚餘林家西壩及義河兩處惟林家西地當湖心洩水過猛下游吃重且堵閉費大未肯輕議至

義河於上年冲跌深塘今春曾
奏估填平補石等工甫經報完適黃河盛漲臣策
應修防未及親往當委護淮揚道沈鵬查驗據
稟辦理如式但灰漿尚未乾老驟啟難免再損
原商擬緩而現當全黃注湖接長不已權其輕
重又難拘守隨於本月二十一日啟通過水查
日來湖水仍在加長高堰誌樁已積存至二大
零八寸微風盪漾浪即上隄所幸仰賴

聖主洪福西風不作堰隄鞏固第時當秋令而堰盱
二廳石工出水無多誠如
聖諭情勢可危現已通飭加築子堰添備料物小心
巡防如湖水長至二丈一尺以外仍不見定惟
有再放林家西壩以保湖隄其下游揚河揚粮
兩廳境内因湖水遞注江潮頂托接長不消趕
於兩岸長隄迎溜之處幫戧築堰並續鑲護埽
防風所有高郵四壩早逾應啟定誌臣因顧惜

下河民田堅守多日昨山盱已啟義河恐該境
更難容納且時交白露秋稼登場隨委代理河
營叅将呂邦治山安廳同知陳勲文持
令前往将車邏壩於二十四日啟放中壩於二十
五日啟放其餘南新二壩亦即接啟以暢歸海
之路臣惟有督飭該管文武加謹修守不敢稍
涉大意合併附片復陳伏乞
皇上聖鑒謹

奏二十一年七月二十六日拜
進八月初九日奉到
硃批另有旨欽此又於將車邏壩句旁欽奉
硃批壩則不容不啟但不知下游田廬有無被淹之
處查明順便奏聞欽此　同日准軍機大臣字寄
八月初四日奉
上諭據麟慶奏祥符漫口全黃入湖現在拆展束清
禦黃等壩仍不足以資宣洩除禮智信三壩早已

啟放義河亦經啓通過水惟林家西壩難議輕啓
酌俟湖水長至二丈一尺以外再行啓放等語該
壩地當湖心洩水過猛下游喫重且堵閉費大著
該河督督飭員弁將堰盱二廳石工加築子堰添
備料物極力巡防林家西壩能不至啓放自為上
策如秋風司令湖水增長情勢實係可危再行啓
放以保湖隄該河督務當慎重辦理不可稍涉大
意至下游車邏等壩業據陸續啓放自因義河已

啓有不容不啓之勢惟下游田廬有無被淹著查
明具奏將此諭令知之欽此

遵派員弁赴豫辦工摺

奏為遵

旨遴派員弁速赴豫省幫辦大工恭摺覆

奏仰祈

聖鑒事竊臣承准軍機大臣字寄道光二十一年八

月二十一日奉

上諭王鼎等奏循例請調南河員弁襄辦大工等語

向來東河遇有要工俱調南河熟練工員幫辦掾

查江南河營叅將張兆係歷辦大工熟悉之員該員現在告病著麟慶飭令於病痊後迅速前赴東河交王鼎等差遣委用其南河各廳汛文員及河營叅遊以下各官有曾歷大工著有成效及雖未經歷而確係熟練河務者並著該河督詳加遴選文武各派三四員飭令迅速赴豫趕於霜降以前到工交王鼎等派令承辦工程以資熟手等因欽此除劄飭叅將張兆一俟病勢稍痊即行起程

外適東河河臣朱襄於初一日抵浦隨即會商
並遴選得署河營叅將呂邦治雖未歷大工平
日辦事認真睢南營守備潘珩海阜營守備張
泰署中河營守備趙大德均曾經歷大工熟練
椿埽又選得海防廳同知何俊修防明白辦事
勤能宿南廳通判婁晋曾歷大工諳習機宜大
挑知縣梁佐中譚祖同均留心河務人亦細緻
飭即起程赴豫聽侯差遣當又與臣議及豫省

河營額設兵丁較少向習推枕軟鑲至捆船上
位籤樁下埽安設提腦揪艄均非所長是以歷
来大工均調南河弁兵應用且經管大小廠支
發正雜料稽查牌桶錢文記取繩頭回撅必須
辦事勤細明白做工之佐雜方能得力兩壩需
員較多擬請添派但臣因調兵關係較重且非
本省未奉
諭旨不敢擅發囑俟到豫後與

欽差大學士臣王鼎兵部侍郎臣慧成等商酌請
旨再行遵辦謹先酌派武職千總文職佐襍各四員
交其帶往差遣所有遴派員弁赴豫幫辦大工
緣由謹恭摺
奏伏乞
皇上聖鑒再朱襄已於初三日兼程趕赴豫省合併
陳明謹
奏　二十一年九月初四日拜

進九月二十六日奉到
硃批知道了欽此 二十二年大工合龍經
欽差王鼎慧成會河南巡撫鄂順安保奏奉
上諭呂邦治着以參將升用何俊着賞戴花翎婁晉
潘珩張泰趙大德周階張成功均著賞戴藍翎梁
佐中譚祖同著開缺以同知補用周宜杜士貴著
以應升之缺即行升用等因欽此

籌工請帑摺

奏為籌備江境應辦要工仰懇
聖恩撥發錢粮並以工代賑事竊臣前奉
上諭所奏清水暢出刷河濟運外南北以上直至河
南交界挑濬淤墊等語著俟勘定黄水入境要工
後次第籌辦等因欽此欽遵在案兹准
欽差大學士王鼎兵部侍郎慧成咨稱祥符漫口堵
築事宜次第興舉河身淤墊估挑引河抽溝江

境尤須通暢行令遴員勘估赶辦以期大工合
龍開放引河暢行無滯等因伏查本年六月下
旬正當黄河盛漲漫灘上游忽陡落斷流以致
河身立即淤墊必須挑空深通庶挽黄歸故方
無阻滯除桃南于工尾以下現得清水刷滌勿
庸估挑外其自江南上交界豐蕭等廳至桃南
北境内河長六百餘里均須挑浚但若普律估
辦所費不貲現惟飭將河底與豫省配平河道

高仰灣曲之處量加挑挖餘則間段抽溝以順
河勢其兩岸長隄常年雖曾幫加而風雨剥削
時有殘缺今歲異漲漫水出槽兩灘墊高隄身
愈矮若不擇要增培将来大汛修守無據所關
匪細現已委員分別勘估至前因全黄入湖将
順清河吳城七堡清口替河于工尾啟放並拆
展東清禦黄兩壩啟除臨清堰宣洩因與河南
漫口相應通共開寬二百七十餘丈兹漫口與

工急應收束堵還以資束禦湖上所開五壩亦須次第籌堵以蓄清水而備來春重運又歷屆大工啟放引河後因溜行不定各廳於春修之外鑲做禦水埽工此次亦必應循辦至洪澤湖向本寬廣祇因黃河南岸歷次失事逐漸墊高所以連年湖水每易長至二丈一尺以外石工已多平水入水此次祥符漫口雖相距較遠黃水遂漸澄清而湖西一帶仍總不免增淤誠恐

来年更難容納必得將堰盱石工普律加高方
為善策但錢粮過大祇可從緩為今之計惟有
多籌去路以保湖隄臣與道將等反覆籌商山
盱放水各處除義禮二河智信二壩外攔湖壩
林家西不敢輕啟舊義河早經冲跌本年因積
漲不消不得已又放一次此後亦難再放惟有
仁河雖曾跌損察看情形尚可設法修復多此
一路宣洩庶備不虞現在已飭查估此皆江境

必不可緩之要工也溯查嘉慶十九年豫省雎
工江南請撥挑河培隄銀二百萬兩續撥禦水
埽工堵閉壩河銀六十萬兩共銀二百六十萬
兩嘉慶二十四五年豫省儀馬二工江南請撥
挑河銀八十萬兩續撥禦水埽工堵閉壩河銀
八十萬兩培隄銀七十六萬兩共銀二百三十
餘萬兩均經前河臣黎世序
奏准撥解在案茲臣撙節確核禦水埽工及堵閉

壩河仍需銀八十萬兩挑河亦需銀八十萬兩
培隄一項照嘉慶二十四年最少之數已幾及
八十萬兩現在經費支絀擬擇要酌估可減銀
二十萬以作山盱修復仁河之用通共仍需銀
二百四十萬兩辦工多一仁河而計費與儀工
相仿比睢工少二十萬查江境小民向恃在工
傭趁藉以營生本年江蘇安徽沿江地方被灾
較重流民亦多而河南歸德安徽潁亳又因黄

水漫淹蕩析流離該處均與徐屬接壤鳳泗更
多半濱湖時近歲暮生計維艱若趁此興工則
三省窮民均可就近謀食以工代賑尤為一舉
兩得惟現當多事之秋
聖主宵旰焦勞部臣籌撥匪易臣具有天良何敢因
有成案即行援請但思前河臣黎世序辦事最
為認真錢粮亦極節省臣自問才實不逮意則
相師現在體察情形工不容已時不容緩則此

二百四十萬之數事前斷不敢空言節省臨事
亦不肯妄糜
帑項再四思維擬請
勅部於就近藩關各庫先撥銀一百四十萬兩迅速
解貯河庫臣即將挑河培隄等工於今冬明春
擇要先行趕辦俾河流暢順工程穩固附近災
黎亦得自食其力實於公事有裨此外尚須一
百萬兩來年再懇

聖恩勅撥應用則撥解既覺從容要工亦不致貽悞

為此恭摺瀝陳伏乞

皇上聖鑒謹

奏二十一年九月二十一日拜

進十月十三日奉到

硃批户部速議具奏片併發欽此尋准部議查係南河挑河培堤各要工先請銀一百四十萬兩除兩淮應解浙江軍需二十萬准其扣抵外尚應在部庫内撥八十萬兩再撥山東等省四十萬兩責成該河督撙節動用不得悖有請撥成案稍事虛糜仍於造

報工部核銷時專案咨報臣部備查至此外尚需一百萬兩應俟來年具奏到日再行籌辦奉

旨依議欽此

壽萱堂

復陳停募義勇夫片

再承准軍機大臣字寄九月初十日奉

上諭前據裕謙奏明飭委舒夢齡雇募鳳陽潁州二

府鄉勇並飛咨麟慶將徐州府鄉勇招募赴浙備

遣本日據劉韻珂奏𠴨逆在浙滋擾大兵指日雲

集無須假力於隣省之民人等語著麟慶程楙采

即行停止雇募欽此竊臣前准

欽差大臣裕謙抄摺移咨內稱徐州鄉勇聞河臣麟

慶已招有成數即飛咨代為招募等語查上年
逆夷在洋滋事臣標廟灣營所轄各海口均通
大洋且中右等營官兵疊經調防上海存兵較
單恐附近匪徒不靖本擬招募鄉勇繼思應募
者游手居多難循紀律事平後安插匪易是以
曾飭河葦各營在河兵內遴選壯勇團練技藝
藉資彈壓而壯聲威平日仍各歸原伍所需盤
費器械均係臣及該管道並廳營捐辦本年春間

按營較閱曾奏奉
硃批認真練習妥辦欽此在案今裕謙謂臣招募徐州鄉勇已有成數實係遠道傳聞之訛惟因來咨軍情緊急志切同仇不容歧視第河兵有修防之責難於應調曾札徐州道毓衡飭縣招募旋據稟稱招集習練有稽時日若以無技平民充數徒資糜費等語臣愚勇名曰鄉用之於近或可得守望相助之效用之於遠斷難收折衝

克敵之功本屬無益茲蒙
諭旨謹即欽遵停止雇募理合附片復陳伏乞
皇上聖鑒謹
奏 二十一年九月二十一日拜
進 十月十三日奉到
硃批知道了欽此

復陳祥符漫水圖說請以工代賑摺

奏為遵
旨派員查明祥符漫水所經及入湖處所繪圖貼說
恭摺由驛覆陳仰祈
聖鑒事竊臣前准軍機大臣字寄欽奉
上諭東河祥符汛漫口其刷寬大數及水所經過由
何處入湖著麟慶派員詳晰查明繪圖貼說呈覽
等因欽此隨即欽遵揀派宿南廳通判婁晉宿

北營守備李本珠前往確查嗣據先將緝量漫口大數稟到當經繪圖覆
奏在案茲妻晋等於九月二十二日由浦面稟緝量漫口後乘舟順流而下先赴河南省城查看黄河大溜直奔西北城角分流為二由西繞南者十之八九由北向東者十之一二均滙向東南下注至距省十餘里之蘇村口以下又分南北兩股其北股溜止三分由惠濟河經陳留杞

縣睢州柘城至鹿邑之北歸渦河注安省亳州
蒙城至懷遠縣境荆山口入淮歸洪澤湖其南
股溜有七分經通許太康至淮寧鹿邑交界之
觀武集西衝成河槽九處瀰漫下注清水河茨
河濯河直趨安省太和縣境至宋塘河又分為
二其一由西淝河至硤石山入淮其一由大沙
河即潁河至八里垛入淮該二股均歷阜陽潁
上兩縣地界入淮後經臨淮關及五河盱眙二

縣境歸洪澤湖計自河南省城至安徽盱眙縣凡黃流經行之處下有河槽者溜勢湍激深八九尺至二丈餘尺其由平地漫行者渺無邊際深四五尺至七八尺寬二三十里至百數十里不等九月十五日抵臨淮關該處為衆水滙歸處所驗看水誌較盛漲時已消四尺餘寸惟水色帶渾恐不免於淤墊此委員等查勘漫水入湖之實在情形也至被災輕重兩省撫臣早委

道府大員履勘該員等沿途復詢河南以祥符陳留通許杞縣太康鹿邑為最重睢州柘城次之淮寧為輕安徽以太和鳳臺五河為最重阜陽亳州潁上鳳陽懷遠泗州盱眙靈壁次之霍邱蒙城壽州較輕計共五府二十三州縣臣曾任安徽潁州府知府河南開歸陳許道多係舊屬以地利而論潁州稍覺富饒開歸陳均鮮蓋藏而鳳泗最瘠以民情而論開封素最淳厚歸

陳泗均近剽悍而頴鳳為尤從前結捻習教集
梟販私歷有辦過成案此次被水實屬猝不及
防家資漂淌房屋冲塌即有高阜可避亦皆乏
食水圍且時當六月禾苗在地無從搶穫更與
尋常水旱之以漸而及者迥不相同幸地方官
趕緊撫恤藉免流離所冀水退得謀生路若漫
水源源不斷地難涸復種麥無期玆蒙
聖主俯念民生飭堵漫口萬衆同聲盼頌現在糧價

尚平第恐時近寒冬向後青黃不濟難免騰湧
窮民全資賑糶方得營生而災區收成在五分
以上者又例不給賑況人數衆多亦難徧及查
江南挑河等工現已勘估若歲内興辦小民傭
趁有資實可以工代賑俾此數百萬災黎不致
為飢寒所廹潛消桀驁於無形且以土計方以
方核價勒限稍寬稽查較易於工可得實濟於
民大有裨益尤屬一舉兩得除另摺懇請發

帑以便興工外所有派員查明漫水經由入湖處

所謹繪圖貼說恭呈

御覽並就管見所及據實具

奏伏乞

皇上聖鑒謹

奏 二十一年九月二十四日拜

進 十月初八日奉到

硃批另有旨欽此 十月初二日內閣奉

上諭麟慶奏派員查明祥符漫水入湖經由處所情形一摺據稱河南安徽兩省計共五府二十三州縣被災輕重不等雖經地方官趕緊撫恤惟恐地難涸復種麥無期青黄不接窮民無以營生現已勘估挑河等工若歲内興辦以工代賑即可一舉兩得等語因思江南興工於附近窮民自有裨益若遠方遷徙之民紛紛覓食人數衆多不能徧及難保無流離之苦著河南安徽各巡撫妥籌善策

多方安撫俾災黎無憂失所以副朕軫念民依至
意欽此

請頒海口龍王等廟扁額夾片

再海安廳屬黄河海口有嘉慶十七年

敕建龍王廟并頒到

聖書廣澤涵元扁額又山盱廳屬高澗汛有

水府都君祠建自康熙年間嘉慶六年頒發

聖書保障全湖扁額俱載

祀典屢昭靈應本年閏三月初七日風雨連朝有

巨魚吹浪横截黄河海口水幾没埽兵民震恐

禱於
龍神魚隨潮退擁置青口灘上不能轉動漁丁蛋
户臠肉取油適臣勘工行抵海安詢知其異遣
弁往查携得腮骨二具每具曲長四尺有餘現
存廟內不特彰保衛海口之靈實足為剪戮鯨
鯢之兆又七月間全黃入湖水勢漲滿二十七
日子刻西風大作飛浪排山巡隄官弁忽見湖
面紅鐙羅布陰火潛然風勢漸息臣因夜風過

大黎明馳抵高堰閲視情形耆民競稱為
都君巡湖神鐙示佑嗣是東風居多安瀾幸保凡
神祇之顯應皆
聖德所感孚合無仰懇頒發
御書扁額臣謹摹泐懸挂俾遐邇欽瞻永承
靈貺所有扁額尺寸開列於後伏乞
聖鑒訓示祇遵謹
奏

計開

龍王廟匾額

寛五尺六寸

高二尺八寸

水府都君匾額

寛九尺六寸

高三尺六寸

二十一年十月初三日拜

進　十月二十六日奉到
硃批另有旨欽此　十月十四日内閣奉
上諭麟慶奏
神祇顯應請頒扁額等語南河
龍王廟及
水府都君祠舊崇祀典屢著靈庥本年三月七月
兩次河湖浪作祈禱輒應得保安瀾實深寅感朕
特親書扁額交該河督祇領虔赴廟中敬謹懸掛

以答

神貺而肅觀瞻欽此

奏稿 二十二年

謝　賞福壽摺

奏為恭謝

天恩事竊奴才在邳北工次賞摺弁回奉到

頒賞

御書福壽字各一方謹即恭設香案望

闕叩頭祗領欽惟我

皇上福備蘿圖

壽崇蔀算和調玉燭春回送臘之先喜溢金隄

寵賁迎年之首推泰筴而逢樂歲肇履端以頌元辰

祥紀壬林溯

華渚流虹之歲功成寅亮揆靈臺偃伯之期

福被大千

壽徵億萬奴才年初艾服頻邀逾格之

恩任久洊防屢展近

光之覲仰瞻

藻翰益勵葵衷福言副而壽言酬職期報稱河告清

兩海告宴
運際平成臚趨林納寓之歡
德意常宣於蔀屋援颺拜賡歌之義祝言願效乎華
封所有쐡感幸下忱謹繕摺恭謝
天恩伏乞
皇上聖鑒謹
奏　二十二年正月初二日拜
進　正月二十四日奉到

硃批覽欽此

籌辦河口運道情形片

再查上年黃水歸湖臣即啟順清河挽放回空漕船并拆展禦黄束清二壩啟放清口替河吴城七堡于工尾等處以暢出清水原冀刷滌河淤得復清水濟運舊制可省灌塘茲截至立春前一日止查看順黄壩誌樁存水二丈八尺較之二十年年底存水三丈六尺已落八尺但挽黄歸故後水必長回四五尺湖查舊案道光初

年清水送漕彼時年底順黃壩祇存水二丈餘
尺自六年放王營減壩不暢河底增淤丈餘每
年底水總在三丈五六尺是以湖水常矮於黃
欲濟運行舍灌塘別無良法此次年底存水雖
經數月來清水刷滌比歷年小至八尺河底漸
深而不日豫工合龍黃流歸正水一長回核計
尺寸仍在三丈以外能否抬清敵黃克如始願
未敢自信是以臣前接東河知會合龍有期恐

黃水下注猛驟趕將埽壩各工分投興辦以資抵禦又慮湖水源弱洩枯飭將舊義河趕緊越堵以資瀦蓄並測探塘河受淤處所勒限估挑一律深通倘將来黃水復故清水尚高即當拆啓禦壩替河俾軍船啣尾遄行設黃高於清則仍循舊啓閉草閘灌放濟運總期重船抵壩暢行無阻所有籌辦河口運道情形謹先附片陳

明伏乞

聖鑒謹

奏　二十二年正月初二日拜

進　正月二十四日奉到

硃批如能清高于黄無須灌放更好相機妥辦欽此

議復稽查水手章程摺
奏為遵
旨酌議嚴防漢奸溷入糧船水手短縴設法稽查恭
摺附驛覆陳仰祈
聖鑒事竊臣承准軍機大臣字寄道光二十二年二
月二十一日奉
上諭前因糧船水手人數眾多恐有漢奸溷入降旨
令牛鑑悉心籌畫旋據奏稱漢奸皆係閩廣浙江

匪類漕船水手皆籍隸江蘇山東直隸並無閩廣
浙江匪徒容俟會同漕臣撫臣籌議具奏等語現
尚未據該督撫等會議奏到因念浙省辦理軍務
不能得手皆由漢奸充斥助逆肆兇是此項匪徒
為害滋甚不日南漕北上難保該逆不分遣匪黨
溷入水手之中潛伏附近天津一帶別圖滋擾不
可不豫為防範著朱樹諄飭各糧道轉飭總運等
官責成領運千總各就所管之幫逐船按照花名

清册自開兑以至沿途隨時點驗某船水手若干
名遇有册内短少及册外增添之人立即根究来
歷無稍容隐其交卸回空時尤應驗明人数隨幫
帶回並逐日點卯毋任一名借故留住天津通州
等處以杜意外之虞並著麟慶朱襄於催趲粮船
之便留心稽查毋任匪徒溷跡亦不准水手人等
一名上岸並知照經過地方各督撫一體嚴查無
分畛域再聞漕船經行處所皆有短縴此輩更無

冊籍可稽奸匪尤易匿跡著該督等密飭所屬如
何設法嚴防妥議章程具奏務使奸匪無從托足
而漕行仍不致驚擾方為妥善欽此臣跪讀之下
仰見
聖慮周詳謹即欽遵籌議伏查粮船水手賦性强悍
向多不馴近經漕臣認真約束頗知歛跡其在
江南境内由臣與督臣於催趲時派員分段彈
壓數年来並無滋事玆因浙洋不靖恐有漢奸

溷入水手奉

旨飭查實得思患預防之要按糧船出運各船丁舵水手向俱開列名字同帮船號数刊板懸諸船尾且例造花名冊歸糧道総運領運帮弁隨時查點過淮時經漕臣同米數冊盤驗立法實已周備奸匪似難溷入且此項水手長年既有工價又准各帶貨物土宜藉利謀生大半世習其業即偶有增添亦必丁舵援引方能上船應請

即責成領運千總嚴督各船旗丁稽查防範遇
有可疑之人立即稟報拏究倘敢容隐一併治
罪至水手不准一名上岸勢有難行緣水手與
民人無甚分别况行船時帶縴打犁須在兩岸
即泊船之後尋覔親故銷售貨物亦不能不上
岸自謀生計如專出示禁止船多人衆斷難遵
守仍屬虛文倘防禁過嚴更恐不肖丁役藉端
勒索反致良善失業刁狡生奸不能相安無事

且酗酒打降愚民亦所不免非獨水手為然似
不必概禁上岸祗以有無滋事為斷如果滋事
嚴懲示儆現在尤重詰奸應請在船責之帮弁
旗丁在岸責之地方文武在閘壩責之漕務委
員隨時隨地留心嚴查自可無虞至短縴向係
各分地段或數十里一換或百餘里一換並不
常川在船所以名短其姓名籍貫均鮮確據若
逐日點卯必致停待齊集更與乘風行船多有

閘碍至回空時均令隨幫不准留住天津通州
一節應由漕臣核議臣愚以為有治人無治法
况漕務舊章已極周密祇須實力奉行現值有
事之秋更宜示以鎮靜若再議立新章庸愚徒
滋惶惑狡黠藉端滋擾恐仍於公事無益所有
江南自瓜州江口起至山東黄林莊止臣請循
照舊章督飭所屬小心彈壓加意稽查以期奸
匪無從溷跡漕船行走順利仰副

聖主諄諄誥誡至意為此恭摺附驛覆
奏是否有當伏乞
皇上聖鑒訓示謹
奏 二十二年三月十四日拜
進 三月二十七日奉到
硃批另有旨欽此 三月二十一日寄奉
上諭麟慶奏酌議嚴防漢奸溷入粮船水手短縴設
法稽查一摺據稱各船丁舵水手向俱開列名字

刊板懸諸船尾且例造花名冊歸糧道總運領運
帮弁隨時查點即偶有增添亦必丁舵援引方能
上船著即責成各糧道督飭領運千總嚴督各船
旗丁稽查防範遇有可疑之人立即禀報拏究倘
敢容隱一併治罪其水手人等在船責之幫弁旗
丁在岸責之地方文武在閘壩責之漕務委員留
心查驗均照所議辦理至所雇短縴只准其至所
雇之地折回不准該幫丁等攜帶長行遇有形跡

可疑者立即根究毋得視爲具文總之粮船北上人數衆多全在各員等隨時隨地認眞查察無任奸匪溷跡致滋事端是爲至要欽此

議覆條陳葦蕩摺

奏為遵
旨確查葦蕩情形恭摺覆陳仰祈
聖鑒事竊臣承准軍機大臣字寄道光二十二年二
月二十五日奉
上諭御史呂賢基奏豫籌南河葦蕩以防水患而節
經費一摺是否可行著麟慶將摺內所陳各款體
察情形妥議具奏原摺著鈔給閱看欽此並抄摺

到臣隨即轉行河庫淮海二道欽遵查議茲據
詳覆前來臣逐欵察核敬為我
皇上陳之
一原奏南河正料皆用海柴産葦蕩營官地凡
民間燒烟向来皆官料做工之餘今乃奸民
串買蕩柴與河員為市遇險則居奇抬價官
幕外工藉此漁利近日河費浩繁皆由於此
等語查南河正料山海等廳距海較近全用

海柴迤上外南北桃南北等廳柴稭葦用再至宿遷以上專用秫稭其揚粮江防等廳濱臨大江又用江柴葢各就其地之所産並非皆用海柴至葦蕩官地之外民灘産柴甚廣例歸各州縣納賦徵租凡民間燒烟及河廳購料皆出於此故不得不與河員交易並非串買蕩柴惟遇險居奇抬價事所難免是以歲料防料向俱預期發辦儲備既足則奸民

技無可施所有河費之多寡全視工程之險
夷不得謂之皆由於此所奏似無可議
一原奏舊例購料一堆銀七十五兩十月至正
月收生柴九萬斤二月至四月收温柴七萬
八千斤五月至九月收乾柴六萬六千斤今
則不論月日改收三萬斤柴料一堆發價一
百四十五兩至一百八十五兩出入相乘懸
殊四倍等語查河工報銷正料向係以束核

斤以斤核價並無計堆之例惟河臣及該管
道查料勢難按束點數故有堆垛之法以一
千九百束為一堆青柴應重五萬七千斤温
柴應重四萬九千四百斤枯柴應重四萬一
千八百斤道光十一年經前河臣奏定照青
温枯牵算每堆以五萬斤為牵歷久遵循從
無改收三萬斤之事至柴價因程途有遠近
之分故各廳漕規不能劃一現均照例給發

該御史所奏每堆銀七十五兩與例不符其
所稱癸價至一百八十五兩查係嘉慶年間
之事其時料價未減且堆垛丈尺方數亦與
現在不同有案可稽應毋庸議
一原奏購料於他處流弊滋多不如取給於葦
蕩備防無匱近聞南河通工每年約用料萬
堆每堆繳三萬斤若以原定限繳乾柴之數
計之則實得漕規料四千四百堆即可濟通

工之用等語查南河二十三廳每年用料多寡須視工程平險雖難定數然約計總須二萬餘堆因蕩柴不敷應用是以添購民柴及秫稭江柴此乃共見共聞今該御史謂以四千四百堆即可濟通工之用並欲全取給於葦蕩必致貽悞要工焉能備防無匱況所稱漕規斤重與奏定章程均不相符更毋庸議

一原奏葦蕩營原額產柴地共萬二千餘頃每

畝得柴三十斤一束者三十束即萬二千頃計之可得柴三千六百萬束為料萬二千堆等語查葦蕩左右二營共地一萬一千餘頃內除備弁兵丁住基柴廠溝港並撥給棋兵墾種及斥滷荒灘外計産柴地不過六七千頃嘉慶二十四年經前河臣黎世序等奏定左營增採柴八十萬束連舊額共柴二百三十三萬五千束右營增採柴一百二十萬束

連舊額共柴二百八十三萬四千八百束統計兩營每年共應交柴五百十六萬九千八百束歷今二十餘年雖豐減不一間有增減然總不過數十萬束前河臣黎世序辦事最為認真如果實產三千六百萬束豈肯僅定五百十餘萬束之額所奏應毋庸議

一原奏樵兵每名例交三十斤一束生柴三千七百五十束近年改收五十斤一束淨柴以

六十束為額較舊例僅得什之一等語查左右二營額設樵兵一千四百餘名每年例交正餘柴二百七十八萬九千八百束計每名派柴一千九百九十餘束若如該御史所奏改收淨柴六十束則每年僅收八萬餘束其餘二百七十萬束既不准同新增餘柴發給刀本雇夫採割究係何人刈交此理不辨自明至所稱每兵例交生柴三千七百五十束

並無此例應毋庸議

一原奏營地淤寬數倍柴亦稱是若每年限樵
兵交柴四千四百堆以為鑲工之需再寬備
一二千堆則正料足矣其餘四五千堆賣與
民間柴價所入凡刀本公費賞項皆出其中
並助襍料夫工之用等語查蕩地經該管淮
海道每年親往查看並無淤寬數倍之事惟
緊靠黃河海口處所間因水面寬衍流沙停

積且地本鹽堿潮汐往来寸草不生無柴可
採前因左營產柴照額有餘右營每致短絀
經臣奏築圩堰蓄水養苗近年甫得足額而
工用尚多不敷實無餘柴可賣應毋庸議
一原奏左營各兵均有分界右營並無分址似
應清丈使兵各有專責加意護青且防奸民
偷柴燒料諸獘等語查左營分界係兵丁各
按地段培築封墩並非明立界址其右營向

亦分隊畫界看守備弁按隊督採遵循已久
並無貽悮定例採柴缺額若非霜損虫傷即
應叅賠該管弁兵斷不肯任聽奸民偷燒自
取咎戾應毋庸議
一原奏舊例樵兵開採自霜降始至清明止為
葦青漸長恐被刈傷今聞採過四月竊慮三
年之後葦悉變蒲於工料不適用賣與淮商
得利倍葦等語查蕩柴舊例霜降後開採清

明停止嗣於嘉慶十七年奉部議准改於八
月二十一日開採次年正月採完迄今循辦
如果葦變為蒲不適工用各廳斷不肯收該
營即須賠補豈能獲利應毋庸議
一原奏樵兵自霜降至清明每名例課積土七
十五方以充壓埽修隄之用沿隄柳株霜後
科砍以充椿橛故錢糧節省而無糜費似此
例案尤當申明等語查樵兵養苗看青採柴

堆垛是其專責向無積土砍柳之例且距黃
運兩河有工之處甚遠該處皆溝渠港汊並
無隄埽柳株應毋庸議
以上各款臣復加查訪與該道等所詳無異伏
念臣受
恩深重職領全河倘有弊端理宜釐剔緣葦蕩營坐
落海灘地僻民悍守望無助是以康熙三十八
年前河臣于成龍題准建營設兵一千二百餘

名樵採之外兼以防海寓意深遠其後裁廢雍
正四年前河臣齊蘇勒疏請復設柴額止定歲
交一百五十萬束嗣屢經增添迨至嘉慶年間
前督臣百齡河臣黎世序等疊次清理始奏明
儘蕩搜採將歲完正餘外餘柴五百一十六萬
九千八百束作為定額然歷年開採左營尚有
敷餘右營則自道光元年以來均未足額是以
臣於十三年到任後因右營產柴缺額查係蕩

地西高東下雨水難存之故
奏明分年築堰蓄水養葦十六年工竣自十八年
至今左右兩營均皆逾額該管官盡心經理著
有明效今若照該御史所奏是欲在定額之外
又議增添且將久定營基復加清大徙滋紛擾
實無益於工用反多碍於舊章應請毋庸置議
第兩營弁兵衆多沿海灘棍不少嗣後日久玩
生亦不可不防其漸臣當與該管道督率廳營

隨時查察有弊即懲以期仰副
聖主慎重工料至意所有遵
旨查議緣由謹據實恭摺覆
奏伏乞
皇上聖鑒謹
奏二十二年四月二十二日拜
進五月十四日奉到
硃批依議欽此

籌防江北摺

奏為遵

旨籌防江北河道以杜夷船內竄情形先行恭摺由

驛覆陳仰祈

聖鑒事竊臣於六月十六日承准軍機大臣字寄六

月十三日奉

上諭現在逆夷猖獗有由揚子江直犯江寧之謠該

逆如由內河北駛必多備小船由瓜洲進口直趨

揚州淮安各處不可不加意嚴防此時牛鑑駐守江寧省城勢難兼顧著責成麟慶於由江入河扼要處所嚴密防堵毋令連艅直入如兵力稍單即趕緊團練水勇設法守禦或雇覓小船裝載柴草引火各物暗伏港汊乘夜縱火焚燒使不得揚帆徑渡是為至要如防堵不嚴稍留罅隙致河面有夷船闌入惟該河督是問將此由六百里加緊諭令知之欽此伏查南河以瓜洲江口為門戶而自

海入江以江陰縣鵞鼻嘴為要隘臣於初七日
奉到
諭旨飭令會商防守遵即移咨適常鎮道稟逆夷船
隻已於初四日駛過該處旋據揚州府江都縣
等稟稱夷船已過圌山逼近瓜洲經運司飭將
減運糧船用竹簍蔴袋實以土石在內河扼要
之三汊河沉船填塞特揚州存兵甚少請即添
調協防等因臣以事關緊急商之漕臣各抽撥

兵百名往援
奏明在案旋接督臣咨稱運庫有銀一百三十萬
兩請代收存隨經委員解到臣即飭分貯河庫
及淮安府庫並截留前調右營兵五十名防守
以昭慎重隨選弁改裝密赴江口一帶偵探情
形兹據稟查得瓜洲城內居民遷徙一空其大
小兩口各有三桅夷船停泊江面有杉板夷船
遊奕十一日見有火輪船二隻駛向西南上游

而去當至三汊河查看沉船處所有江都縣知
縣彭以竺庫大使宋佩紘在工督辦船已鑿沉
兩頭築壩中留小口可通船以便商旅等語臣
思逆夷猖獗不可不設法守禦而其法誠如
聖諭以縱火為要是以先曾咨派河營參將呂邦治
馳赴下游會同署江防同知雷體乾察看通江
港汊情形測探水勢深淺或設法堵塞或扼要
埋伏如有杉板船闖進內河即就近用存工料

垛分裝小船乘夜火攻又選派外南營守備黃
佩採辦木植以備紮筏縱火及簽樁攔截等用
茲又派三江營守備安振業馳往揚城收買竹
頭木屑雜用柴草倘遇火輪船到趕就河勢灣
曲之處順流放下以滯其輪此外尚思有洩水
阻淺一法已飭呂邦治親赴揚河廳屬將兩岸
涵洞閘壩全啟隨赴揚粮廳本擬盡放歸江去
路適值江水陡長丈餘須防內灌先放壁虎橋

等四處餘再查看江潮長落酌辦又高郵四壩
洩水入海最為便捷特下河早稻尚未收穫一
經啟放有碍民生仍飭暫緩如果夷船敢入内
河趕即啟壩使河水陡落以膠其舟即派該叅
將會同淮揚道權其輕重相機酌辦惟是揚州
居民聞夷船入江紛紛遷徙北來清江户口日
增米粮日貴深慮宵小竊發是以趕將河營上
兩年所團河兵選調來浦派中軍副將秦攀蔓

會同淮揚淮海二道督率操練藉壯聲威而資
彈壓令奉
諭旨嚴飭防堵臣受
恩深重益當竭力籌辦惟江北兵單人心恇怯清江
浦為水陸咽喉五方雜處並無城垣且有河庫
令更添運庫移貯銀兩深慮慢藏又時屆大汛
河湖長水修防吃緊臣刻不可離至揚州為財
賦之區聲名夙著逆夷必定垂涎防守匪易查

兩淮鹽運使但明倫平日辦事認真商民愛戴
現在運庫銀兩已移且泰壩停運儀徵停綑鹽
務事簡所有揚州府防堵事宜應請
旨責成但明倫督辦其高郵一帶為北來要津四壩
均在境內且距該管盐城縣射陽湖海口不遠
應責成淮揚道恩齡專駐接防其黃河灌河等
海口及海州青口鶯遊門等處本係淮海道所
轄設有夷警應責成淮海道趙廷熙馳往督防

臣居中策應務期協力同心籌畫萬全不留罅
隙仰副
聖主委任之至意獨是前因京口文報不通地方官
詳請改途儀徵今又不通者三日自儀沿江均
有夷船遊弈之故現在督臣牛鑑已回江寧閩
提臣劉允孝亦帶兵趕往京口有叅賛臣齊慎
駐紥自可無虞特夷船不退南北隔絶運道民
生鹽務河工所関均非淺鮮查由江入河一路

係揚州河標漕標淮安等四營地方額兵本少
又經上海等處屢次調防二千餘名更形單薄
現在留防蘇州地方自應移咨調回無如大江
不通一時難到而附近之徐州鎮兵亦多調防
江南狼山鎮兵兼轄江海河標之廟灣佃湖漕
標之鹽城海州東海等營各有海口不容輕調
是現在江北全力言守尚難而夷船在江勢不
能不厚集兵力設法守禦似應先事預籌合無

仰懇

天恩在江南連界之山東河南營分酌調一二千名

多携抬砲揀派幹員管帶來浦再行進駐揚州

相機辦理庶於大局有裨倘夷船敗退立即

奏請停止以節經費所有遵

旨籌防情形謹先恭摺覆

奏伏乞

皇上聖鑒訓示施行再臣原奉寄件係六百里加緊

事關軍務是以由五百里復
奏合併聲明謹
奏 二十二年六月十八日拜
進 六月二十六日奉到
硃批即有旨欽此 六月二十三日內閣奉
上諭但明倫著賞加按察使銜所有揚州至清江浦
一帶防堵事宜即責成該司悉心妥辦遇有應行
陳奏事件准其單銜具奏欽此

請調周漕台片

再查本年重運首二進糧船計早抵通交卸後
應即回空南下惟逆船現在江口遊奕南北梗
塞若再停泊不退空船無路歸次勢必須在黄
河南北寬濶處所截留排泊統計水手不下十
數萬人除頭舵尚有工食外餘俱失業食用無
資性本強悍難保不聚而滋事其憂倍切於外
患大為可慮思得水手素所畏憚者彈壓庶期

安靜查周天爵前在漕督任内與臣共事深知
其勇敢有為水手畏服該員蒙
恩免其發遣留於廣東差委第思在粤祇尋常防守
之員若改調来浦當可收彈壓水手之用不揣
冒昧謹附片陳請如蒙
俞允乞飭速来清江臣為預籌彈壓起見伏候
聖裁謹
奏 二十二年六月二十五日拜

進 七月初十日奉到

硃批已有旨諭欽此

揚儀漸定摺

奏為儀徵揚州漸俱安定現仍加謹防堵情形恭
摺由驛具陳仰祈
聖鑒事竊臣於六月二十六日承准軍機大臣字寄
六月二十三日奉
上諭前有旨諭令狼山鎮總兵順保與該河督籌商
扼要防堵復飭令河南南陽鎮總兵都勒豐阿先
帶練習親兵前來策應本日復降旨飭令鄂順安

挑選精兵數百名又諭令托渾布麟魁挑選曹州
兖州兩鎮兵丁一千名或數百名均携帶抬槍抬
砲前来交麟慶調度差遣著分撥揚州各口岸嚴
密防範勿令逆船駛入但明倫已賞加按察使銜
所有揚州防堵事宜即責成但明倫督辦嗣後有
關軍務摺件著由六百里馳奏等因欽此又七月
初一日承准軍機大臣字寄六月二十六日奉
上諭麟慶奏遵旨辦理情形一摺覽奏均悉揚州距

瓜洲僅四十里且為江北藩籬必須竭力保守計狼山鎮順保所帶之兵不日可到其南陽鎮都勒豐阿及所調山東河南官兵諒接奉諭旨即已啟程如李湘棻未到以前曹州兗州兩鎮兵弁已抵清江即著麟慶先行管帶並將先到各路官兵於揚州扼要口岸嚴加防範至梟匪乘間滋事尤為可慮拿獲後自應立正典刑著照該河督所議辦理等因欽此跪誦之下仰見

聖主籌畫周備訓示詳明曷勝欽感伏查臣前將籌

防情形具

奏後即飭淮揚道恩齡馳往高郵督防一面選派幹弁改裝赴沿河一帶偵探昨弁回據稟行至瓜洲江邊見大小口外停泊三桅船二隻儀徵沙漫洲禮祀洲老河影各泊火輪船一隻江面有夷船遊奕其三桅大船桅上懸砲口斜向下船艙三層其上層列有砲眼火輪船之輪安在

中艙偏後兩旁船首列砲三船尾列砲二桅上無砲靠水船幫列有砲眼並見三輪船一隻其一輪在前行駛如飛又據守備安振業稟稱奉飭登高明寺塔極頂詳細瞭望當即會同署江防同知雷體乾於二十五日登塔望見金焦兩山上下共泊大小夷船六十餘隻瓜洲口及儀徵洲上各有大船三隻並見有火輪船靠大江南岸駛向下行又據江都縣知縣彭以竺稟稱

瓜洲口内三汊河地方共有三口前經釘樁沉
船尚難堵遏復覓大樹連根帶枝繫以鐵錨沉
在水底足資攔禦而水仍通流其三江口内亦
經仿辦至旱路要隘均窀陷坑並安地雷督同
兵勇擇要設伏以備夷匪登岸即引火燒擊等
語至揚州府城當逆船入江之時居民大半遷
徙店鋪全行閉歇食用交匱經運司但明倫知
府晏曙東知縣彭以竺盧元良等親自逐户勸

諭發動義倉平糶並設太平局籌辦防堵事宜
保赤堂收養貧民委運判鄭士彥經歷武祖德
知事安樹森等經理紳士顔崇禮黄錫慶魏廷
榆江壽民等分董其事又曾於春間派知事王
英秀團練壯勇三百名兹又新募七百五十名
署知縣彭以竺自練鄉勇五百名協同存城弁
兵及河漕二標派往之兵分駐城廂晝夜巡防
維時梟匪散在四鄉乘還徙肆刦亦經該府縣

盡法懲治閭閻賴以稍安至三江口直通内河各要隘已移調淮安營叅將景興帶兵守霍家橋等處又狼山鎮總兵順保檄派泰州營遊擊廣音保帶兵駐仙女廟防範均已周密其儀徵縣城濱臨大江為商運綑盐之地即為梟匪叢集之區匪類有二在陸曰回奋在水曰巴桿老向因争私互鬪兹於六月十一日夜又相仇殺回奋縱火燒燬盐船巴桿老亦放火焚燒沿江

梟匪房屋逆夷見而驚疑連開大砲火光燭天城内居民望而大亂知縣陳文烝署遊擊芮永森因變起黑夜攖城固守韋署南監掣同知陳延恩於未奉札之先先已團練鄉勇一千八百名藉壯聲威並親自巡行勸諭率同子塩委員湯翁嗣紳士陳書玉張鴻瑞等分投撫慰民心始定逆船於十二日始到因知有備至今半月有餘倏泊倏開未敢登岸嗣訪得各梟匪鬬散

後無處存身巴桿老漸皆就募回畬多往六合一帶鄉間搶掠並有竄入洪澤湖之謠臣已派署洪湖營千總劉步魁駐守禮河絕其來路又聞清江浦黃河以北亦有土匪聚眾欲圖滋事現派武舉鄭通等分投跴探如有實跡即當派員帶兵會同各地方官兜拏嚴辦以杜滋蔓現在清江因下游居民遷徙人眾米粮騰貴以致民情惶惶宵小竊發臣已捐貲委員馳赴湖西

購米運浦以平市價各米店聞風價亦漸減地
方安定惟查夷匪在江遊奕勢必勾結漢奸探
聽虛實查拏為第一要務特恐書差藉端滋擾
查前准督臣咨稱真正漢奸髮辮剪齊臂刺虫
形或蝴蝶形身帶夷字小腰牌為據臣已刷印
賞格偏貼通衢曉諭軍民僧俗人等隨地扭獲
來轅請賞一面揀委妥員留心嚴緝並咨准閩
監督臣松桂一體密拏查該閩客貨船隻久不

流通南来各船半載家眷誠恐夾帶違禁軍器
火藥亦囑隨時稽查茲據該監督復稱現於關
口用纜船攔截每日酌開數次以便行旅又准
江蘇軍需局呈報訪聞吳淞口外逆夷新造一
物狀似棺木中藏火砲情殊詭譎亦咨該監督
遇有棺木並須詳詢来歷倘無確據即飭暫厝
曠地不准過關以嚴防範茲蒙
天恩飭調山東河南兵丁並派南陽鎮臣都勒豐阿

前來臣已札商但明倫酌定口岸俟到後分撥
扼要防堵所有江北現在安定情形謹遵
旨由六百里恭摺馳
奏伏乞
皇上聖鑒再伏汛現已安瀾另容奏報合先附陳謹
奏　二十二年七月初三日拜
進　七月初十日奉到
硃批即有旨欽此又於旱路要隘均穵陷坑句旁奉

硃批好欽此又於派知事王英秀團練壯勇三百名
茲又新募七百五十名署知縣彭以竺自練鄉
勇五百名協同存城弁兵等句連奉
硃圈五處又王英秀彭以竺名上各奉
硃圈又於該府縣盡法懲治句旁奉
硃批必須認真嚴辦欽此又於陳延恩名上奉
硃筆雙圈並奉
硃批甚好欽此又於派員帶兵會同各地方官兜拏

嚴辦句旁奉

硃批妥速掩捕斷不可留內患欽此又於狀似棺木

中藏火砲句旁奉

硃批可惡欽此　同日准軍機大臣字寄初七日奉

上諭麟慶奏儀徵揚州漸俱安定現仍加謹防堵一

摺據奏瓜洲江邊停泊三桅夷船二隻儀徵沙漫

洲禮祀洲老河影各泊火輪船一隻其金焦兩山

上下共泊夷船六十餘隻瓜洲口及儀徵洲上各

有大船三隻現已設法將水路攔截並於旱路要
隘宅坑設伏並發倉平糶慰諭居民地方漸以安
定等語所辦甚好所有團練壯勇之知事王英秀
知縣彭以竺署監掣同知陳延恩等各團練壯勇
或數百名或千餘名協同守城或率同委員紳士
撫慰居民均屬出力可嘉另片奏催漕來工之投
效東河通判王恩壽告假回徐之分發湖南候補
布政司理問秦廣鏞自備資斧隨營效力所帶壯

丁驗明得力著准其留於南河差遣如江北有警
即著麟慶量才調委一經剿辦得手朕必破格施
恩或逆夷偵知江北有備不敢窺伺而該員等捍
禦有功統俟軍務告竣後由麟慶確切保奏候朕
施恩並將此旨傳示該員等以資激勸至梟匪乘
機搶刦必須認真嚴辦毋稍寬縱據奏儀徵匪類
爭私互鬥現在雖已解散仍須加意嚴防至黄河
以北土匪聚衆尤應乘其未發妥速掩捕此時外

患未平斷不可復多內顧著麟慶相度機宜或及
時名募或設法解散或先事捕獲銷患未萌是為
至要所奏漢奸剪髮刺臂身帶腰牌及棺木中暗
藏火砲著飭屬隨時隨地留心訪察惟當持以慎
密倘稍露風聲俾逆夷知我識破勢必改換形跡
搜捕更難著手又另片奏沿江小船非漁即梟恐
為逆夷所誘雇覓難保集事等語軍務緊要不得
不慎雇船既屬難行仍著嚴守江北以杜內竄將

此由六百里諭令知之欽此

議復賽尚書片

再承准軍機大臣字寄欽奉

上諭賽尚阿片著鈔給閱看欽此並鈔片到臣隨即欽遵詳加尋繹原奏所稱逆夷三路盤踞使本年之漕船不能歸次則水手未必相安明年之新粮不能北来則倉儲有關支放坐受其困等語實屬洞悉情形切中時弊至逆船入江應雇買小船招致商漁梟匪多用硝磺葦草及火攻

之具以燒其船洵為制勝要策惟是𡚁夷船堅
砲利江水寬濶火輪風帆均可四面行駛近之
不易況現已連艅橫行江面凡通內河港汊口
岸均有夷船停泊南岸鎮江北岸瓜洲俱被占
踞所有大號帶江紅船早已遠避現在沿江小
船非梟即漁半係牟利之徒而逆夷所用全出
擄掠不難重啗恐此輩有先為逆夷所誘者此
時若議雇覔難保集事臣惟有欽遵

諭旨督率兩淮運司但明倫等協力同心嚴守江北
河道以杜内竄並訪拏漢奸梟匪庶期淮揚兩
郡得保安全仰紓
宸廑合併附片覆陳謹
奏二十二年七月初三日附
進七月初十日奉到
硃批即有旨欽此又於恐此輩句旁奉
硃批不得不慎欽此

安撫瓜洲摺

奏為委員前赴瓜洲撫慰居民淮揚情形大定並

將運庫銀兩全數解回各緣由恭摺馳報仰祈

聖鑒事竊臣承准軍機大臣字寄七月十一日奉

上諭麟慶奏調防兵丁將次到齊豫籌分撥設局一摺覽奏均悉所調山東兵丁因本境防守緊要難以調撥已飭調河南兵丁六百名計日可到本日又飛調陝甘兵一千名諭令速赴清江該河督等

務即分別派撥總以扼要得力為要至江北辦理
事宜軍需設局以備支應自不可少所有應用各
款如能於河工項下設法節省以供支發方免另
行籌撥此外如有捐貲出力有裨軍務者並著隨
時奏請鼓勵等因欽此仰見
皇上垂廑東南添兵禦敵跪誦之下欽感難名伏查
夷船入江占踞瓜洲經臣督飭運司但明倫等
設法防禦通江各路沉船築壩陸路多掘陷坑

暗置地雷各情形節經
奏蒙
聖鑒茲據署江防同知雷體乾三江營守備安振業
馳稟夷船於十六日退出瓜洲奉運司飭委會
同江都縣知縣彭以竺候補知事王英秀並瓜
洲營守備曾廣楹巡檢王毓麟即於是晚入瓜
洲城内察看各處衙署及民居間有損動並搜
獲夷船初到時所開砲子二個一重二十六斤

半一重二十五斤隨掐撫居民陸續搬回鋪戶
逐漸開張情形極為安靜該員等共登南門大
觀樓瞭見大江共泊夷船十二隻內二溜一隻
金山後二隻薛灣一隻甘露寺三隻焦山三隻
新河口一隻高資港一隻當將砲子携呈運庫
一面收回由閘關將沿途該逆所貼偽示概行
洗滌等情臣查夷船之去自因見有預備而夷
情詭譎不可不防現仍咨致但明倫都勒豊阿

順保等加謹防守以備不虞惟淮揚一帶情形
既定若再添兵轉虞驚擾且經費亦屬不貲所
有蒙
恩飭調陝甘並續調河南兵丁及已經到防弁兵均
應俟夷船全行退出大江後由臣一面奏
聞一面分別截留裁撤以節糜費至運庫前次移貯
河庫銀一百三十萬兩經運司稟請解還現已
俱飭原解委員分批領回再本年水大工險需

用繁多防堵各欵實未能於河工項下通融動

用臣深知

國家經費有常是以雖經設局未敢另行請銀僅

奏明動用河庫所收各員捐輸銀兩現在計已不

敷臣曾隨時激勵地方官廣為勸諭官紳士庶

羣知急公慕義第因前次捐輸請叙之摺尚未

奉到部議不免意存觀望合無仰懇

聖恩勅部速議如蒙

恩奬臣即宣示
綸音俾各員觀感奮興輸將必當踴躍似可多助經
費實於公事有裨所有撫慰灰洲居民淮揚大
定並解回運庫銀兩各情形謹恭摺由六百里
馳報伏乞
皇上聖鑒謹
奏 二十二年七月二十日拜
進 七月二十八日奉到

硃批另有旨欽此　准軍機大臣字寄二十四日奉
上諭麟慶奏委員前赴瓜洲撫慰居民淮揚情形大
定一摺覽奏均悉夷船退出瓜洲居民陸續搬回
地方安静著即督同運司但明倫妥為撫輯運庫
銀兩已經解還仍當飭屬加意防範勿謂夷船開
去斷不再來滋擾致有疎虞倘夷船全數退出大
江著即隨時體察將所調防兵一面奏聞一面分
別截留裁撤以節糜費官紳士庶如有急公好義

踴躍捐輸者該河督開單奏聞朕必破格施恩前
次奏請甄叙各員不日吏部奏上即當降旨鼓勵
將此由六百里諭令知之欽此

特叅疎防桃北摺

奏為查勘桃北廳崔鎮汛蕭家莊漫口現在籌辦
情形恭摺具陳仰祈
聖鑒事竊臣前將河水異漲桃北楊工上下漫溢情
形附片奏
聞在案隨於拜摺後由南岸先經外南桃南平漫處
所查看該二處均已搶定當飭趕緊補修完整
查該廳營未能預防應將所用錢粮著賠不准

開銷以示懲儆隨赴桃北廳崔鎮汛勘得楊工
上下漫水情形上首十五堡口門業已掛淤其
下首蕭家庄本係無工處所因口門已刷寬一
百九十餘丈臨近舊埽閒被帶塌現量水深二
丈八九尺至三丈餘不等掣動大溜下游正河
業已斷流當即復加查訪緣本年水長過勘比
上年異漲尚大四尺五寸桃北水高隄頂僅恃
新築子堰攔禦十七日卯刻正在搶護之際適

值西南風暴雷雨驟至水乘風勢湧高數尺人
力難施以致漫溢該管守備張源吉衙署即在
隄下家屬淹斃臣勘畢心急如焚恨不即時堵
閉無如水深溜急料物一時難集且查歷届大
工總於霜後水落始行進占緣大汛水長不時
倘有閃失所費轉鉅當與道將等籌商惟有先
將大堤盤頭裹護以免續塌至漫水直趨中河
則緣遥縴等堤本矮於黃河大堤丈餘勢若建

錮遂致漫塌數處下注六塘河由灌河口歸海
查六塘河兩岸並無城郭其黃運兩河近堤村
庄臣已提銀委員觧交地方官多雇小船並備
饝餅蓆片趕緊散放一面飛咨撫臣飭屬撫䘏
查此次失事雖由非常異漲而該管文武各員
責無旁貸除已委員摘印署理外應請
旨將桃北廳同知陳潞桃北營守備張源吉主簿劉
廷理千總戴長春署協防事把総王廷玉即行

革職仍留工以觀後效至署淮海道沈鎬到任
雖僅十一日且與參將呂邦治遊擊季承章均
在下游搶險究屬疎防署淮安府知府曹聯桂
署桃源縣知縣段海鼇亦有協防之責均應請
旨交部分别議處責令帶罪督工如果不悮空運再
行循例
奏請開復臣受
恩深重職領全河未能先事預防且值此江海有事

之秋河工亦復不靖實無顏仰對
聖主惟有懇
恩將臣交部嚴加議處謹將查勘桃北蕭家庄漫口
情形繪圖貼説恭摺具陳伏乞
皇上聖鑒謹
奏二十二年七月二十九日拜
進八月初九日奉到
硃批另有旨欽此八月初四日内閣奉

上諭麟慶奏桃北廳漫口一摺據稱桃北廳崔鎮汛楊工上下漫水情形上首十五堡口門業已掛淤其下首蕭家庄口門刷寬一百九十餘丈臨近舊埽間被帶塌掣動大溜下游正河斷流等語本年水長較上年尚大四尺有餘桃北水高隄頂僅恃子堰攔禦雖屬人力難施該河督究未能先事預防咎有應得麟慶著交部嚴加議處牛鑑有兼轄之責著交部議處桃北廳同知陳潞桃北營守備

張源吉主簿劉廷理千總戴長春署協防事把總
王廷玉均著即行革職署淮海道沈鎬叅將呂邦
治遊擊季承章署淮安府知府曹聯桂署桃源縣
知縣段海鰲均著交部分別議處其外南桃南平
漫處所已趕緊搶定修補完整著照議飭令該廳
營各員分賠不准開銷以示懲儆欽此尋准部議查該管文
武各員未能先事預防應照定例辦理惟查上
年六月河南祥符汛漫口失事經 臣部照例將
該督文冲議以降二級留任奉
上諭革職留任等因又開歸道步際桐開封府知府

方宗鈞均奉
上諭革職留工効力祥符縣知縣張官奉
上諭革職勿庸留工等因欽此此次應照上屆
諭旨一例議處奉
上諭麟慶着即革職暫留江南河道總督之任戴罪
圖功以觀後効署淮海道事淮安府同知沈鎬署
淮安府事試用知府曹聯桂一併革職留工効力
署桃源縣事試用知縣段海鰲着革職毋庸留工
河營叅將呂邦治遊擊季承章着一併革職留工
効力牛鑑着加恩改為革職留任欽此

博採衆議片

再查漫口興堵用繁現在經費支絀籌撥匪易

且集夫孔多亦與時勢未宜似應暫緩辰下應

以回空為要務亟有此一失致穿過運河之處

上下受淤臣負罪滋深敢不力圖挽救當即博

採衆議有以為赶堵缺口挽黄入運者有

以為即隨漫水由六塘河沿海轉尖者有以為

開通北岸支河口啟放南岸祥符閘繞湖東行

者臣細核諸說言易行難又有謂宜從六塘河
至武障河折入鹽河溯流上挽刷堤外出者此
說可採但非熟路當以改於中河灌塘之說為
妥地雖創始章則仍舊是以臣即乘小舟督率
道將遊擊等相度形勢飭令分投估築攔壩確
探水淤上緊疏挑勒限完工計首進到境總在
中秋節後彼時積有成數方能灌放當可不誤
統俟勘定運道後另行繪圖貼說恭呈

御覽再有謂海口日淤日遠黃河日墊日高淮揚地
方每值河湖水漲岌岌可危所以從前屢請改
道今正可趁此因機利導另通海口臣按說實
有理但事關重大必須經歷大汛看定水勢再
行籌商此時未敢輕議合併附片陳明謹
奏 二十二年七月二十九日附
進 八月初九日奉到
硃批另有旨欽此 同日准軍機大臣寄初四日奉

上諭麟慶奏查勘桃北廳漫口籌辦情形一摺已明
降諭旨將麟慶牛鑑分别嚴議議處並將專管協
防文武各員分别革職議處矣此次黄河盛漲漫
水直趨中河下注六塘河由灌河口歸海被淹村
庄究有若干户口黄流經過地方與入海門户較
舊道相距遠近若干均著查明詳細繪圖貼説呈
覽至各村庄人口被淹必當加意撫恤著一面妥
為安插一面飛咨江蘇巡撫飭屬妥辦勿令流離

失所另片奏漫口興堵博採衆議等語此時第一
要議不可有悞軍船回空該河督惟當設法搶辦
使軍船連檣南下迅速歸次至應如何籌議興工
或將黄水挽回故道多方攔截或趁此改道另行
辦理仍著詳察水勢悉心籌度再行妥議具奏又
另片奏驛路不至遲悞已悉將此諭令知之欽此

請　欽差片
再現移塘中河豫籌回空渡黃事屬創始臣謹
竭盡心力設法妥辦以期無悮歸次稍贖前愆
至漫口應否興堵挽黃歸故或趁此改道前奉
上諭著臣詳察水勢悉心籌度再行妥議具奏等因
欽此當因疊次委員往查黃水歸海處所流行
未定且空重兩運未過不敢輕議
奏明在案茲復督同道將等反覆籌商刻下夷船

已退江北情形大定所有土匪現會同

欽差署太常寺少卿臣李湘棻委員訪拏懲辦亦已

斂跡如果興舉工人夫雖集祇須選派營員彈壓

當可不致生事惟堵壩挑河需費不少值此軍

興之後撥款維艱而積料集夫一經動工勢難

停待是目前不慮人夫之滋事轉虞經費之難

籌若徑議緩又恐來春湖水過小難濟重運至

乘機改道誠屬變通一法第黄水現由灌河口

及埒子口分流入海未能歸一来年水長能否
通暢新改兩岸如何築堤修守濱海居民灶户
是否不致阻撓淮北票鹽地方水利有無滯碍
均難臆斷且鹽河上無来源現係導引積水得
濟運行倘黄河改道鹽柴又如何出運諸須豫
籌必使有利無害方敢定議倘貿焉决計恐滋
流弊維時再議弛張更於公事無補況十九二
十兩年湖水屢經異漲上年夏間黄河水旺繼

又全黃入湖奇險疊生臣督率籌防心膽俱碎
乃本年仍有桃北漫口之事上負
恩慈下增罪戾內疚之餘倍切惶悚議堵議改所係
匪輕臣問心實未能自信事關重大合無仰懇
天恩簡派大臣來工勘明指示俾得遵循庶有裨益
謹不揣冒昧據實陳請伏候
聖裁謹
奏 二十二年九月初四日奉到

硃批另有旨欽此　二十三日准
欽差大臣敬徵廖鴻荃移九月初九日奉
上諭麟慶奏查明黃水歸海處所流行未定議堵議
改驟難決計等語著敬徵廖鴻荃於到工後會同
履勘悉心籌度是否必須將漫口赶緊興堵挽黃
歸故抑或可乘機改道以期變通之處務須統計
全局熟權利害妥速定議具奏該處被水災黎並
著敬徵等會同麟慶查勘情形分別輕重交該地

方官妥為撫卹毋使一夫失所是為至要原片著

鈔給閱看將此諭令知之欽此